€1,-
D0653218

AFGESCHREVEN

Bram Dehouck (1978) gaf met *De minzame moordenaar* (2009) zijn schrijverscarrière een bliksemstart. Hij won er in 2010 zowel de prestigieuze Gouden Strop als de Schaduwprijs voor het beste spanningsdebuut mee. Met *Een zomer zonder slaap* (2011) zette Dehouck zijn succes door en won ook De Gouden Strop 2012. Inmiddels zijn de filmrechten van deze thriller verkocht aan Shooting Star (dat eerder *Sonny Boy* verfilmde) en is een Duitse vertaling aanstaande.

Boeken van Bram Dehouck bij De Geus

Een zomer zonder slaap
De minzame moordenaar

Bram Dehouck

Hellekind

DE GEUS

www.bramdehouck.nl

Omslagontwerp Mijke Wondergem
Omslagillustratie © Gary Isaacs/Trevillion Images
ISBN 978 90 445 1906 8
NUR 305

Now run as fast as you can through this field of trees
Say goodbye to everyone you have ever known

EDITORS, 'Smokers Outside the Hospital Doors'

1

Net als hulpagent Thomas Gijsen denkt dat het een kalme dag wordt, valt de vrouw binnen. Ze duwt de deur open, blijft met haar voet achter de laatste trede haken, struikelt en kletst met het gezicht vooruit tegen het koude marmer van het politiesecretariaat. Even blijft ze liggen. Dan krabbelt ze huilend overeind.

Problemen, denkt Gijsen terwijl hij van zijn stoel opstaat. Hij probeert in te schatten of de vrouw onder invloed is van pillen of drank. Een hippe cokejunk kan ze ook zijn; als je aan de heroïne zit, koop je niet de dure kleren die zij draagt. Haar ogen zoeken de ruimte af naar iemand die haar kan helpen, maar ze vinden alleen de lege, rode plastic stoelen en het kurken prikbord.

'Hij gaat hem vermoorden!'

Ze schrikt als ze haar eigen woorden hoort weergalmen.

Gijsen drukt het nummer van slachtofferhulp in.

'Ja?' klinkt er door de intercom.

'Dringend naar de receptie komen. En neem Tess Jonkman mee.'

Wat een geluk, denkt hij, dat Jonkman vandaag dienst heeft. Daarna tikt hij op het raam van de receptie. Gijsen verlangt naar de dag dat het politiesecretariaat verhuist naar de nieuwbouw aan de rand van de stad, dan hoeft hij bezoekers er niet telkens op attent te maken dat de receptie zich drie trappen hoger bevindt. Oude gebouwen hebben hun charme, maar praktisch zijn ze niet. En verrekte koud in de winter.

De vrouw vangt zijn blik. Ze stormt de trappen op. Haar handen grijpen eerst de marmeren balie vast, dan roffelen ze op het glas.

'Hij gaat onze zoon vermoorden!'

Bij nader inzien lijkt ze niet onder invloed te zijn. Ze heeft ook niet de afwezige blik van een psychiatrisch patiënt. Maar schijn kan altijd bedriegen. De vrouw veegt een zweterige haarlok uit haar gezicht.

'Kalm, mevrouw, er komt iemand om u te helpen.'

Ze bonst nog een keer op het glas.

'Er is geen tijd!'

Misschien kan hij haar kalmeren.

'We helpen u meteen, mevrouw. Wie wil uw zoon vermoorden?'

'Chris!' roept ze. Speekseldruppeltjes spatten op het glas.

'En wie is Chris?'

'Hij is ...'

Haar stem breekt.

'... zijn vader.'

2

De beslissing om de moord uit te voeren nam Chris Walschap op het terras van het café. Hij nipte van een donker abdijbier, veegde het afwaswater dat van de voet van het glas op zijn hand druppelde af aan zijn spijkerbroek en staarde naar het bos.

Behalve hij was er niemand op het terras. Het barmeisje vertoonde de typische onvriendelijkheid die hoorde bij een zaak zonder vaste klandizie. Ze had hem tien minuten laten wachten om dan zonder een woord te zeggen het bier op het tafeltje te zetten. Het bladerdak verloor zijn glinstering toen de zon achter een kruin verdween. Hij rilde.

Aan de rand van het bos stond een hutje waaraan een plattegrond hing. De afbeelding zat onder de moddervegen, de verschillende boomsoorten vielen niet meer van elkaar te onderscheiden. Het lichtgroene loofbos en het donkergroene naaldbos waren allebei vervaagd tot vuilblauwe vlekken, met daartussen een sliert die de beek voorstelde en waarschijnlijk altijd vuilblauw was geweest. Het wandelpad, nadrukkelijk zwart, vormde een bijna perfecte cirkel. Halfweg kon je de wandeling inkorten door een geasfalteerd paadje te nemen dat het bos doormidden sneed. Het had Chris enige moeite gekost om op dat abstracte beeld de plaats te vinden die voor hem de perfecte moordplek was.

Chris kende dit bos. Als kind kwam hij er kastanjes rapen met zijn broer Gert. Door elkaar met bolsters te bekogelen vochten ze onduidelijke oorlogen uit. Soms waren ze indiaan en cowboy, of buitenaardse wezens, of soldaten uit schimmige legers, maar even vaak waren ze gewoon broers. Als de regen van kastanjebolsters en pijnappels was opgedroogd, jaagden ze in het kreupelhout op hazen en wilde zwijnen – één keer zelfs op een olifant, toen het bos in een Afrikaanse jungle veranderde. Hun enige buit waren schrammen en blauwe plekken, en een oorvijg van Nanny als ze met gescheurde kleren thuiskwamen. Het maakte hun niet uit, dat was nu eenmaal het lot van avonturiers.

Later werd het bos de getuige van zijn romantische wandelingen met Charlotte. Hier vonden ze de privacy die ze misten in de stad. Daar stuitten ze altijd wel op buren, studiegenoten, vrienden of kennissen van hun ouders. Hij twijfelde of het in dit bos of het stadspark was dat hij voorstelde hun initialen in een boom te kerven.

'Nee,' had Charlotte gezegd, 'dan doe je de boom pijn.'

Daarom hadden ze gelachen.

Nadat hij bij het café had geparkeerd, keek hij bij het portier even naar de boomtoppen. De goede herinneringen aan deze plaats lagen ver begraven in het verleden. Ook al had de omgeving iets vertrouwds, en was het uitzicht in al die jaren nauwelijks veranderd, zijn plan zou een vernieuwde vriendschap voorgoed uitsluiten. Hij raakte vervuld van een bizar schuldgevoel; hij zou deze oude relatie op de meest afschuwelijke manier misbruiken.

De oppervlakkige charme van deze vriend kon hem niet meer vangen. Tijdens de wandeling vermeed hij zich te laten verleiden door geluidjes die een blik op scharrelende knaagdieren of ander natuurschoon beloofden. Net als het herfstparfum dat uit de grond opsteeg, waren zij bedoeld om een zekere mildheid in hem op te wekken. Dit kruispunt tussen rust en evenwicht wilde hem doen geloven dat het moordplan met wat frisse lucht zou verdampen. Maar het bos verborg zijn ware aard net zo ingenieus als het kwaad dat zich schuilhield binnen zijn gezin: het leefde geruisloos, diep van binnen.

Daarom was hij op zijn hoede.

Hij fixeerde zijn blik op het pad. Hij passeerde een met moskussentjes bedekt bankje en de turntoestellen die kinderen tot stunts uitdaagden. Onverstoorbaar stapte hij over het bruggetje bij de beek.

Ondanks een regenloze nazomer was het bos vochtig. Chris vervloekte zijn schoenen, ze boden geen houvast. Hij zakte ettelijke keren weg in de modder, het leer zou hij nooit meer schoon krijgen. Zijn sokken zogen zich vol koud vocht. Toen hij een aardkluit wilde wegschoppen, zag hij pas op het laatste moment dat het een dode vogel was. Hij schopte een gat in de lucht en bestudeerde het dier. De pootjes, die hij per abuis had aangezien voor wortelhaartjes, wezen omhoog, en bijna onzichtbaar in de borstkas zat het kopje weggedrukt. Uit de ogen kropen maden. Nu hij beter keek, zag hij ook wormpjes uit andere openingen komen, op plaatsen waar een vogel normaal gezien geen openingen had. Hij deinsde terug. Dat zou precies zo gebeuren met Sam. Niet aan denken.

Hij concentreerde zich op de boomwortels, waarvan de kronkelingen een logica verborgen die hij niet kon vatten. Hij telde kastanjes. In aardkluiten probeerde hij dieren te herkennen. Chris werd zich pas opnieuw volledig bewust van de omgeving toen hij bij de splitsing kwam. Hij koos ervoor de cirkel te voltooien en ging voorbij aan het brede pad dat in een rechte lijn terug naar de ingang en het café leidde.

Toen het pad versmalde, vroeg hij zich af: kan het hier? Boven het maïsveld stak een dak van rode pannen uit. De zwaartekracht had door de jaren heen de nok in het midden naar beneden getrokken. Precies daar zat een dakkapel. Achter het glas zag hij geen menselijke gedaante. Dat hoefde niet te betekenen dat er niemand stond. Misschien staarde iemand met dezelfde interesse naar hem als hij naar de dakkapel. Misschien had die iemand een verrekijker. Hij draaide zich om.

Onherkenbaar in het tegenlicht kwamen gestalten naar hem toe. Het verbaasde hem dat hij de ruiters niet had gehoord. Hij stapte van het pad af en wachtte tot ze passeerden. De eerste ruiter tikte in het voorbijgaan tegen zijn pet. De witte handschoen was kraaknet, de kleren waren even onberispelijk.

'Goedenavond', zei de man.

Chris knikte.

De vrouwelijke ruiter gunde hem slechts een korte blik. Haar paard richtte zijn hoofd op, stapte achteruit en legde de oren in de nek. Het zette nog een paar passen achteruit alsof het overdacht wat het zou doen: verdergaan of steigeren.

'Ho maar', zei ze.

Chris ging dieper de struiken in. Hij wilde niet vertrappeld worden als het paard de vrouw van zijn rug zou gooien om het daarna op een lopen te zetten. De eerste ruiter deed zijn paard omkeren.

'Ho maar. Ho.'

De vrouw boog zich naar voren, praatte tegen het dier tot het zijn oren rechtop zette en klopte zachtjes in zijn nek. Het deed uiteindelijk wat ze hem beval. Langs de paardenkont en de rechte rug van de vrouw keek Chris in het gezicht van de mannelijke ruiter, die hem al de hele tijd in de gaten hield. De man salueerde opnieuw en glimlachte terwijl hij de vrouw liet voorgaan. Hun hele manier van doen had iets aristocratisch, en Chris wist niet of het aan het simpele feit lag dat ze op een paard zaten, of dat deze mensen echt tot de hogere klasse behoorden.

Het koude zweet brak hem uit. Hij sloot zijn ogen en voelde zijn pols, vijftien seconden lang. Wat als er ruiters opdaagden terwijl hij zijn plan uitvoerde? Hij hapte naar adem, drie keer na elkaar, en voelde opnieuw zijn pols. Hij moest kalmeren.

De ontmoeting met de ruiters deed hem twijfelen. Was dit bos wel de geschiktste plaats? Was er een eenvoudigere manier? Hij kon terug. Op zijn modderschoenen, glibberend over stenen, wegzinkend in het pad. Nu was hij nog een onschuldige wandelaar, een brave huisvader die een frisse neus had gehaald.

Chris keerde terug naar de werkelijkheid. Het pad liep dood. Hoe kon dat? Hij bevond zich op een open plek met hoog gras, omringd door bomen die dicht bij elkaar stonden. Hij keerde op zijn stappen terug en begreep zijn fout. Zijn gedachten hadden hem ongemerkt van het pad af geleid, recht dit stukje bos in. Bij de scherpe bocht was hij rechtdoor gegaan, tussen twee bomen een kleine helling af. Hij liep terug naar de plek die hij net ontdekt had. Ideaal, zo besefte hij met kippenvel over zijn hele lijf. Afgeschermd door een haag van bomen kon het gras een lijk jarenlang verbergen.

Was het toeval dat hij deze plaats nu ontdekte, amper een minuut na zijn twijfel? Ook al geloofde hij sinds zijn vroege tienerjaren nergens meer in, toch had hij het gevoel dat hij te maken had met een goddelijke voorzienigheid. Zoals vaker de laatste tijd overviel hem het besef dat het uitvoeren van zijn plan het einde van zijn lijden zou betekenen, maar ook het einde van zijn fatsoen, en de ergste uitdrukking van zijn falen zou zijn.

Hij voelde hoe de spieren in zijn schouders zich spanden, hoe zijn hart sneller begon te slaan en het zweet onder zijn oksels en in zijn nek gloeide. Met opeengeklemde kaken luisterde hij naar het ruisen van de kruinen, hetzelfde geluid als aanrollende golven, en het was alsof hij naakt in een ijzige branding stond. Hij probeerde zijn gedachten te ordenen door zijn ogen te sluiten. Hij hoorde krekels. Een vogel. Hij ademde diep in. De vogel, de krekels, de kruinen, zij alleen zouden zijn getuigen zijn.

Toen Chris op het terras aan zijn ontdekking dacht, de ogen nog steeds gericht op de plattegrond, was de zon voorgoed verdwenen. De wandeling terug was snel gegaan, in een poging de rondtollende gedachten te ordenen. Slechts een minuut hield hij halt bij een poel vol groene smurrie – hij kon niet uitmaken of het een moeras of een erg vervuilde vijver was – maar al snel liet hij het idiote idee varen om het lijk daarin te dumpen. Sjouwen met het lichaam was een gigantisch risico, en de gasvorming zou het naar de oppervlakte stuwen.

De koelte en de duisternis maakten het landschap zwaar, net als het bier, dat hem niet meer smaakte. Op de plattegrond was de plaats nog net zichtbaar. Rechts bovenaan moest het zijn, bij de scherpe bocht.

Chris dronk zijn glas leeg. Het bier viel koud op zijn maag. Hij graaide vijf euro uit zijn portefeuille, legde het geld op tafel en zette het glas erop. Hij keek achterom, naar de deur van het café, waar ondertussen licht was ontstoken, maar het barmeisje gaf geen teken van leven. Hij stond op. Het meisje mocht het wisselgeld houden. Niet omdat ze hem zo vriendelijk bediend had, maar hij wilde vermijden dat ze zijn gezicht langer zou zien dan nodig was.

3

Hoeveel mensen hebben ooit een naaste dood gewenst?

Ik maak 'm kapot, had een patiënte gesist nadat ze te horen kreeg dat ze herpes had opgelopen. Ze vrijde alleen met haar vriend en die hád helemaal geen herpes, zei ze. Een seconde later snapte ze het. De woede sprong in tranen uit haar ogen. Terwijl ze de riem van haar handtas kneedde, bleef ze doodsverwensingen aan het adres van haar vriend spuwen.

Ik wurg 'm.

I'll fucking kill 'm.

Ze was een leuk meisje. Chris had haar seksuele ontwikkeling gevolgd. Het eerste recept voor de pil. Jarenlang was dat het enige waarvoor ze kwam. Toen plots de paniekerige vraag om de morningafterpil. De hiv-test drie maanden later. Chris herinnerde zich haar opluchting toen hij haar aan de telefoon vertelde dat de test negatief was.

En toen dit. Hij kende haar niet als een type dat iemand zou killen. Ze had hem altijd aangesproken met 'meneer'. Via haar moeder, ook patiënte, wist hij dat ze goed studeerde, dat ze na de studie meteen een vaste baan had gevonden en was gaan samenwonen met haar vriend. Daarna hadden het huis, de kat en de kinderen moeten komen. Maar de herpes was eerder.

De aanval van razernij ging liggen toen Chris haar de gevolgen van de infectie uitlegde en een korte kuur met aciclovir voorschreef. Wat overbleef, was een sluimerende woede, die haast zeker het einde van de relatie zou betekenen – al was het maar bij een plotse opflakkering van de ziekte. Maar vermoord zou de vriend niet worden, hooguit verrot gescholden. Over zo'n opwelling maakte Chris zich geen zorgen. Het was als het spreekwoord over de blaffende honden.

Juist voor de stille moest je oppassen, degene die je met brave lobbesogen aanstaarde. Echt gevaarlijk was de woede – of de wanhoop – die stilletjes opbouwde, zich voedend met steeds terugkerende incidenten. Niemand kon voorspellen of die tot een uitbarsting zou komen, en zo ja, wanneer. Die menselijke vulkanen kwamen op consultatie voor een onbenullig kwaaltje – een prikkel in de keel, buikpijn, migraine – dat slechts een symptoom was voor het monster dat erachter schuilging.

Dat monster kreeg Chris zelden helemaal te zien. Soms kon hij er enkel naar gissen, de patiënt klapte dicht als hij een beetje aan het slot morrelde waarachter het gevangenzat. Vaker ging de deur op een kier, en kreeg hij een inkijk in misbruik of geweld. Van deze mensen hoorde hij nooit dat ze iemand kapot zouden maken, dat ze iemand wilden wurgen of fucking killen. Wat ze zeiden, werd gewikt en gewogen omdat woorden in andere omstandigheden al tot narigheid hadden geleid. Wat ze echt bedoelden, ontdekte je pas in de stiltes die ze lieten vallen.

Deze mensen zochten niet alleen goede raad – die kon hij vaak niet eens geven, die kon niemand hun geven – ze zochten het luisterend oor van iemand die ze konden vertrouwen. En wie was er beter te vertrouwen dan de man die je gênante ziektes kende, die zonder commentaar delen van je lichaam bekeek die je zelfs liever niet aan je partner toonde, die je van een keelontsteking, een voetschimmel of een vervelende oorprop bevrijdde? Hen verlossen van de psychische kwelling kon hij niet, maar het klankbord dat ze misten binnen hun gezin vonden ze wel bij hem.

Ook de andere soort kwam op consultatie. Hen behandelde hij zakelijk en afstandelijk, zo wilden ze het vaak zelf. Ze hadden geen nood aan praatjes, ze wilden een medicijn of helemaal niks. Als hij hen probeerde te overtuigen minder te roken of minder te drinken – hij had gezworen het leven te respecteren, zelfs dat van onuitstaanbare etters – reageerden ze lacherig of schouderophalend. Ooit stelde hij iemand een agressietherapie voor. De vonk schoot in de ogen. Hij zag spieren aanspannen in kaken, handen, onderarmen. Hij had geen zin in een gebroken neus. Wie niet geholpen wilde worden, moest het zelf maar weten.

Sommigen van zijn collega's zouden hem voor gek verklaard hebben dat hij zo veel tijd investeerde in die arme zielen, maar noch zij, noch zijn patiënten wisten dat het om een wisselwerking ging. Terwijl hij luisterde naar hun verhalen, dacht hij aan zijn eigen monster, aan de onophoudelijke keten van incidenten en zijn onmacht die te doorbreken.

Zijn blik gleed naar het heuptasje.

Het lag op de dossierkast tegenover zijn bureau.

Misschien zou een van zijn patiënten in een vlaag van onweerstaanbare dwang ooit iemand het hoofd inslaan of van de trap duwen. Maar de kans was klein dat ze iemand zouden vermoorden met voorbedachten rade. Als ze al zouden weten hoe. Hoeveel pillen waren er nodig? Waar moesten ze het mes steken, als ze het al durfden? Hoe hard moesten ze met de schop op de schedel slaan?

Het enige wat zij konden doen, was hopen dat de kwelgeest zichzelf van kant maakte, door met zijn zatte kloten onder een tram te lopen, tijdens een vechtpartij een fatale slag te incasseren, of gewoon neer te vallen door een hartaderbreuk. Maar hierin was Moeder Natuur altijd wreed: bullebakken, straatvechters en ander gespuis leken het eeuwige leven te hebben, net als Afrikaanse dictators.

Chris had de kennis. Hij wist waar aders zaten, hij kende de kwetsbare plekken van het lichaam, hij kon bijna exact voorspellen wanneer een werkbare stof dodelijk werd. Zijn praktijk was op genezing gericht, maar hij kon zijn kennis ook op die andere manier gebruiken.

Het hoefde niet gruwelijk te zijn.

Het kon zacht en pijnloos.

Zonder zijn handen vuil te maken.

4

Hoofdinspecteur Tess Jonkman opent de deur van de verhoorkamer en komt terecht in een situatie waar ze een bloedhekel aan heeft. Geef haar een overval, een inbraak of een vechtpartij. Dan kan ze feiten verzamelen en de puzzel in elkaar leggen. Maar uit de emotionele waas van een familieruzie valt de waarheid slechts met moeite te filteren. Tess bevond zich al vaker in zo'n mist, en ze was er niet altijd ongeschonden uitgekomen. Al meer dan één keer deed een vrouw aangifte van verkrachting door een ex-vriendje. Zonder met de ogen te knipperen onderging ze het medische onderzoek. Na enig speurwerk en de ondervraging van de beschuldigde bleek het verhaal verzonnen om de man een hak te zetten. De eerste keer had ze de vrouw morsdood willen slaan. Dat had ze de korpschef niet verteld.

Ze herinnert zich ook de psychiatrisch patiënte die een warrig verhaal vertelde over huiselijk geweld. Wat ze zei, was absurd en ongeloofwaardig. Na het onderzoek en een telefoontje met haar behandelend arts werd ze opgehaald door een nette man met een minzame glimlach. Tess had medelijden gevoeld voor de man. De volgende dag mocht ze de vrouw van de trap gaan schrapen.

Ze haat familiegeschillen en toch is het haar specialiteit. Hoe dat heeft kunnen gebeuren, vraagt ze zich nog regelmatig af. Onbewust was ze erin gerold, nadat ze enkele gevallen volgens de korpschef uitstekend had aangepakt. De korpschef herkende in haar een talent dat bij sommige mannelijke collega's volledig en bij andere grotendeels ontbrak.

'Empathie.' Een grote glimlach sierde zijn gezicht toen hij het woord uitsprak.

Tess had het compliment met dank aangenomen, en daarmee haar toekomst bezegeld. Gaat het niet altijd zo? Een hoge pief maakt een compliment over je werk, je aanvaardt het glimmend en vanaf dan ben jij de specialist. Bij elke vrouw die aangifte deed van familiaal geweld werd Tess gevraagd het verhoor af te nemen. Op den duur vroeg ze zich af of het de korpschef werkelijk om haar invoelend vermogen ging, of dat er sprake was van klassiek seksisme.

Ze voelde ook wel aan dat vrouwen liever met haar praatten dan met een man, dat ze sneller door de mand vielen of gemakkelijker hun emoties de vrije loop lieten. Als er intieme details verteld moesten worden, was het zeker een voordeel dat ze die konden delen met iemand die wist waarover ze het hadden. Want hoe kun je over een verkrachting vertellen tegen iemand die niet eens weet hoe het voelt om een tampon in te brengen?

Maar het had haar voor een deel ook beledigd, alsof ze

op een emozijspoor werd gezet terwijl de mannen zich met de stoere zaken bezighielden. Niet dat emozaken soft zijn; ondervraag maar eens een bont en blauw geslagen kind.

De vrouw aan de tafel houdt zich aan het bekertje koffie vast als een drenkeling aan wrakhout. Het was Tess ingepeperd tijdens de opleiding: hoe gek het verhaal ook klinkt, geloof altijd iemand die een aangifte doet. Open geest, geen vooroordelen. Het onderzoek wijst achteraf wel uit wat klopt en wat niet. Maar uit ervaring weet ze dat ze niet het complete verhaal hoeft te geloven.

Aan de eerste indruk kan ze moeilijk weerstand bieden – wie wel? Achter de ingezakte schouders en het door tranen opgeblazen gezicht vermoedt Tess een intelligente vrouw. Ze draagt een strakke blouse met daaronder een kokerrok – confectiekleding van een betere keten, het doet haar wat op een secretaresse lijken – en laarsjes die Tess op minstens tweehonderd euro schat. Kort geleden naar de kapper geweest: het haar is fris geknipt en die kleuring kan ze nooit zelf gedaan hebben. Haar juwelen draagt ze discreet; twee knopjes in de oren en een stijlvol polshorloge. Middenklasse, denkt Tess. Rottigheden komen in alle sociale klassen voor, maar hoe hoger de klasse, hoe subtieler, verfijnder en gemener ze worden. En hoe langer ze onder de radar blijven.

Naast de vrouw zit de maatschappelijk werkster van slachtofferhulp. Ze praat zachtjes tegen haar. Als Tess al empathie heeft, dan zwemt deze maatschappelijk werkster erin. Maar daarvoor zijn die types ook gemaakt.

Tess gaat tegenover hen zitten.

‘Charlotte’, zegt Tess.

Ze kijkt op, haar ogen bloeddoorlopen. Maar in de zwarte kolen sluimert een woede die snel kan oplaaien.

‘Mijn naam is Tess Jonkman. Wat is er precies gebeurd?’

‘Er is geen tijd om alles te vertellen’, zegt Charlotte. Haar stem klinkt nasaal, alsof haar neus verstopt zit.

‘Waarom denk je dat jouw man jullie zoon wil vermoorden?’

‘Noem hem niet mijn man.’

Ze haalt haar neus op.

‘Waarom wil Chris Walschap ...?’

‘U gelooft me niet, hè? U denkt dat ik een hysterisch wijf ben.’

‘We geloven je wel, Charlotte’, zegt Tess snel. ‘We nemen jouw zaak serieus. Daarom is het zo belangrijk dat je ons alles vertelt. Alles wat je weet.’

5

De glans van de bevrijding, zo noemde Chris het.

Ze kwamen met ingehouden emotie binnen, de rug die levenslang slagen of verwijten geïncasseerd had kaarsrecht, een glimlach rond de gerimpelde lippen als ze gingen zitten. De handtas ging open en de vingers visten beverig een papier van tussen de pepermuntjes en de kanten zakdoekjes.

Daarna stopte het bibberen van de handen. Met opgeheven hoofd staken ze het blad naar hem uit.

'Ik wilde het u persoonlijk overhandigen.'

Chris glimlachte.

En dan zag hij het, in hun ogen: de glans van de bevrijding.

Als het aan Chris had gelegen, kregen klootzakken enkel een rouwbrief van het goedkoopste recyclepapier. Maar het papier was altijd duur: dik en ivoorkleurig, van dat korrelige met ruwe randen of die soort die lijkt op perkament. De weduwe gebruikte geen Times New

Roman of – als ze een wrede grap wilde uithalen – Comic Sans of iets van dien aard, maar een stijlvol lettertype, geheel in tegenstelling tot de persoon voor wie de letters gedrukt waren.

Ze kwamen geen rouwbrief brengen, deze weduwen, het was een uitnodiging. Ze wilden dat Chris er bij was als zij dit hoofdstuk van hun leven, waarvan hij hun belangrijkste getuige was, afsloten. Daarom stond hij soms in plaats van huisbezoeken af te leggen tegen een pilaar geleund te luisteren naar het *Ave Maria* van Schubert of het *Stabat Mater* van Pergolesi. Hij hoorde kinderen en kleinkinderen met gebroken stem over de overledene vertellen. Over de ellende zwegen ze braaf. Hier en daar herkende hij een verwijzing: 'pa was niet altijd even makkelijk', 'hij kon koppig als een ezel zijn' of 'je was streng maar rechtvaardig, opa'.

De geur van wierook zeilde traag door het gangpad. Als Chris met gesloten ogen inademde, leverde hem dat gegarandeerd een scheve blik van de ceremoniemeester op, die, een meter voor hem, strak in het pak, zijn handen in witte handschoenen zedig voor zijn kruis gevouwen hield.

Tijdens de offerande knikte Chris kort naar de weduwe. Zij bewoog niet, van haar gezicht viel niets af te lezen, de ogen verborgen achter een zonnebril. Terug op zijn plaats bekeek hij het doodsprentje. De foto van de overledene deed niets vermoeden.

In het begin vroeg hij zich af waarom de vrouwen zo veel moeite deden. Waarom kreeg een man die hen jarenlang had getergd een verzorgde uitvaart met een ceremoniemeester die zich ergerde aan elk zuchtje dat de plechtigheid kon verstoren? Waarom dumpten ze hun vent niet gewoon op een draf in een gat, na de hoogstnoodzakelijke plichtplegingen? Zand erover!

Maar nee. De doodskist: van mahonie of wortelnoot, teak zelfs. Nooit een simpele grenen kist. Als het ding eindelijk de kerk werd uit gedragen – gedrágen, niet gerold – dacht Chris aan de man die erin lag. Vaak had hij het overlijden vastgesteld. Dan stond hij aan het sterfbed, meestal een ziekenhuisbed in de woonkamer, en keek hij naar het vredige gezicht en de gevouwen handen. Met op de achtergrond de geur van koffie en het getik van een wandklok leek het alsof de man een dutje deed.

De weduwen volgden de kist met opgeheven hoofd.

Eén keer keek een weduwe opzij. Ze glimlachte naar hem zoals een gangster naar zijn hulpje die een tegenstander naar de bodem laat zinken.

De zonnebril, begreep Chris toen, verborg niet haar tranen. Het was de glans in haar ogen waar de weduwe geen getuigen van wilde. De uitvaartplechtigheid was geen eerbetoon aan de dode, het was een geschenk van de weduwe aan zichzelf.

Chris daarentegen had niets te vieren.

Zijn bevrijding zou niet feestelijk zijn.

Geen klassieke gezangen, geen ceremoniemeester met witte handschoenen, geen doodskist van wortelnotenfineer.

Wat Sam wachtte, was een graf van kreupelhout.

6

Ondanks alles had hij moeilijk kunnen geloven dat dit moment zou aanbreken. Hij had het heuptasje op de kast gelegd zoals een ex-roker een pakje sigaretten in een bureaulade legt. Met de geruststellende gedachte dat hij het ooit kon gebruiken. Dat er een uitweg was. Maar met de onuitgesproken bedoeling het nooit aan te raken. Nu zag hij zijn vingers naar het riempje grijpen. Het heuptasje gleed van de kast. Het was een lelijk, groen ding – alle heuptasjes waren lelijk – dat bij een doos ontbijtgranen of zo had gezeten.

Een uur eerder had Chris zijn praktijk op slot gedraaid. Er was maar één patiënt vandaag. Hij kampte met een hardnekkige verkoudheid die was uitgemond in faryngitis; een paar dagen uitzieken was de enige oplossing. Hij had even naar de stilte in het halletje geluisterd. Toen ging hij de wachtkamer in, waar hij de roddelblaadjes op hun plaats legde. Hij zette de stoelen netjes één tegel van de tafel af. Stof dwarrelde in het licht dat tussen de lamellen door viel.

Hij ging zitten. De zitting kraakte.

Zo zaten zijn patiënten hier dus, al die jaren, kijkend naar vergeelde affiches, bladerend in het privéleven van bekend volk, zich ergerend aan het darmgerommel of de rauwe hoest van andere wachtenden, in de hoop dat Chris hen snel zou verlossen van deze wachtkamer, waar de tijd altijd een beetje trager wegtikte dan ergens anders. Hij staarde korte tijd naar een affiche over hooikoorts. In een andere realiteit zou hij die binnen enkele weken vervangen door een affiche over de griep.

Hij keek naar de deur. Niemand zou hem komen bevrijden van de vragen waarmee hij zat. Niemand zou hem geruststellen dat het met enkele dagen uitzieken wel zou beteren, of met een pilletje na het eten. Hij kon wachten wat hij wilde.

Hij stond op. Zou hij hier vanavond terugkomen? Alleen of in het gezelschap van de politie? Of kwam hij hier helemaal niet meer? Hij sloot de deur achter zich en ging terug naar de praktijkruimte. Hij deed zijn schoenen uit. Op kousenvoeten liep hij door de ruimte, waarvan de vloer koud en plakkerig was, een onaangenaam gevoel dat tot dan aan zijn patiënten was voorbehouden. Geen van hen had er ooit over geklaagd. Hij maakte zijn bureau leeg en sloot de dossierkast. De nieuwe huisarts kon direct aan de slag. Dokter Walschap mag dan iets afschuwelijks hebben gedaan, hij hield wel correct zijn dossiers bij, zouden zijn patiënten hoofdschuddend denken.

Met het heuptasje ging hij aan de wastafel staan. Hij vulde een plastic flesje half met water. Zijn handen trilden toen hij de druppelteller nam. Hij telde de dertig druppels Lysanxia die in het flesje vielen.

Toen veranderden zijn handen in die van een elfjarig kind.

Onder zijn nagels zat modder, tussen zijn vingers een lepel waarmee hij het drankje mixte om het goed te maken met Nanny. De oorveeg die hij kreeg toen hij met zijn broertje terugkwam van het bos tintelde nog na.

Nanny kwam op hen afgelopen, dingen schreeuwend die ze van zover niet konden verstaan. Chris voelde dat het geen toejuichingen waren, maar vloeken om verdorie zo snel mogelijk binnen te zijn.

'In jullie beste kleren!' hoorde hij.

'Nanny, we hebben op een olifant gej...' begon Gert, maar Nanny luisterde niet, ze sleurde Chris van zijn fiets.

'In jullie mooie kleren. Hoe kom je erbij?'

Nanny trok hem aan zijn oor het huis in. Hij hoorde nog het tingeling van zijn fietsbel toen de fiets de grond raakte. Eenmaal in de koele gang werd hij over de trap omhooggetrokken.

'Moet je jezelf zien, Chris. Dat waren je kleren voor het feest vanavond!' En dan: 'Denk maar niet dat je daar nog bij bent.'

Nanny duwde hem de badkamer in. Gert kwam dreinend achter hen aan. Hij probeerde weer iets te zeggen over de olifant, maar omdat Nanny hem negeerde, ging hij op een stoel zitten grienen.

'Je moet het goede voorbeeld geven aan je broer', zei Nanny terwijl ze ruw Chris' gezicht waste. Toen gooide ze het washandje in de wastafel.

'Dit kun je verder zelf. Fris je op en help je broer. Daarna ga je naar je kamer.' Ze beende de badkamer uit. Chris keek via de spiegel naar zijn broertje.

'We hadden die olifant écht moeten vangen', fluisterde Gert terwijl snot onder zijn neus parelde. 'Dan zou Nanny nu trots op ons zijn.'

Later zag Chris vanuit zijn kamer hoe Nanny en mama de tuin in en uit liepen, waarbij mama de bevelen gaf en Nanny de ene keer aan kwam draven met een tafelkleed voor de houten tuintafel, de andere keer met servies, of kussens voor de stoelen.

Toen papa thuiskwam, hoorde hij hem praten op de gang.

'Ik laat het aan u over, Anna', zei hij – Anna was de echte naam van Nanny. 'U weet wat het beste voor hen is.'

Hoe verder de avond vorderde, hoe luider het buiten werd, en hoe zwaarder de stilte van het huis op hem drukte. Hij zag papa en mama lachen en praten en eten met andere mensen. Hij herkende enkele gezichten van andere feestelijke gelegenheden. Gert mocht even naar beneden om piano te spelen. Na het applaus moest hij stante pede weer naar zijn kamer.

Chris had door het raam gekeken, naar de lachende mensen, zijn vader die luid grappen vertelde en zijn moeder die er hard om lachte. Nanny draafde heen en weer, ze schonk wijn of water, of ging uit de koelkast bier halen, dat de mannen uit de fles dronken. Na de maaltijd ruimde ze de borden af en dekte de tafel opnieuw voor het dessert. Vooral naar dat dessert had Chris uitgekeken, en toen het mes door de taart sneed en bleek dat er geen stuk voor hem overbleef, sneed tegelijk de droefheid door zijn hart.

Niet zozeer het plan om naar het bos te gaan was een blunder geweest, wel om dat te doen in zijn beste kleren. Al honderden keren waren ze thuisgekomen met vuile of gescheurde kleren, en telkens had Nanny hun een uitbrander gegeven. Dat ze het nooit meer mochten doen, dat ze niet zo wild mochten spelen, dat ze op het pad moesten blijven en oude kleren moesten aantrekken naar het bos. Maar telkens had er ook een bepaald licht in haar ogen geschenen, een twinkeling die betekende dat het allemaal zo erg niet was. Dat licht was vandaag gedoofd geweest.

Hoe kon hij het goedmaken?

Hij keek weer naar buiten. Nanny stapelde de dessertborden op elkaar en haastte zich het huis in. Nu kwamen de kleine glaasjes, die de mannen in enkele teugen leegdronken en waarvan ze erg dronken werden. Straks zouden ze gaan zingen. Over een kat die altijd terugkwam. Of dat Engelse liedje waarbij ze ook een dansje maakten.

Nanny stond aan de rand van het terras. Ze veegde met een theedoek over haar gezicht en zette haar handen in haar zij. Ze toonde zich sterk, maar Chris zag, met zijn voorhoofd tegen het raam, hoe ze een geeuw verbeet.

Toen kreeg Chris de inval. Hij opende traag de deur van zijn kamer. Met zijn tong tussen zijn lippen, de adem ingehouden, wandelde hij de trap op naar Nanny's kamers.

Hij schroefde de dop op het flesje en schudde het. Hij zette het naast het moordwapen, leunde met zijn handen op de wastafel en keek in de ronde spiegel. Rode ogen. Wallen. Zijn huid was droog en schilferig. Een schurende stoppelbaard van twee dagen oud.

Chris maakte zich los van de wastafel, ging naar de andere kant van de praktijk, liet zich in de bureaustoel vallen en trok de wandelschoenen van onder het bureau. Ze knelden en maakten een onaangenaam geluid toen hij weer naar de wastafel liep.

Hij stak de spullen in het tasje, gespte het rond zijn middel en deed het licht uit. Hij keek niet meer in de wachtkamer. Hij sloot de voordeur, en met het hart in de keel rende hij de straat over naar zijn auto.

7

Ritalin, Equasym, Medikinet, Strattera. Dipiperon, Lanzapine, Aripiprazol. Hoe vaak had hij die geneesmiddelen voorgeschreven? Een kind dat door de leraar een uilskuiken werd genoemd, riep keihard 'kukeleku' in de klas. Vroeger kreeg het straf of ging het na school naar de toneelklas. Nu volgde een afspraak bij de psychiater en een medicijnvoorschrift. Hij deed eraan mee. Het werd van hem verwacht.

Chris trommelde met zijn vingers op het stuur, hield via de achteruitkijkspiegel de schoolpoort in de gaten en wachtte tot de bel weerklonk. Hij verwees een kind door naar de kinderpsychiater omdat een moeder het beu was zich schor te schreeuwen. Hij verwees het door omdat een vader alleen nog een oorvijg als uitweg zag. Doffe ogen vroegen hem de horror te stoppen. Smeekten om een beetje rust. Dan kwamen de ouders na enige tijd terug, opgewekter, fitter, zorgelozer, en haalde hij zonder aarzelen zijn boekje tevoorschijn voor een herhaalrecept.

Veel van de kinderen waren beter handelbaar dan Sam. Sommigen zaten op dezelfde school. Hoe spraken de leerkrachten over hen tegen de ouders? Zeiden ze: *Ja, mevrouw, uw zoon doet soms moeilijk, maar het kan veel erger, hoor. Sam Walschap, dát is pas een probleem. De zoon van de huisarts, inderdaad.*

Of kwamen ze juist daarom naar hém toe? Omdat ze dachten dat hij hen wel zou begrijpen, als vader van de ergste van allemaal? Ja, hij begreep hen, en zonder veel nadenken gooide hij reddingsboeien uit. De pillen konden ook zijn zoon de richting wijzen naar slaafse sufheid. Chris kende het effect van de pillen goed. Beter dan wie ook.

Maar voor het gedrag van Sam was er geen remedie, geen medicijn, geen therapie. Sam had geen autismespectrumstoornis, hij leed niet aan ADHD, ODD, of een van de vele andere letterwoorden verzonnen door psychologen om het gekke gedrag van een kind te verklaren. Elk jaar kwam er wel een etiket bij, gesponsord door de farmaceutische industrie. Die vond altijd net op tijd een pilletje uit om het leven met zo'n vreselijke aandoening te vergemakkelijken.

Je hoefde Chris niets wijs te maken over de ontwikkelingspaden van antisociaal gedrag. Het handboek van psychische aandoeningen had hij grondig bestudeerd. Hij worstelde zich door oude cursussen en medische handboeken, bladerde in vaktijdschriften. Hij volgde alle bijscholingen over het onderwerp. Maar die losten niets op. Sam paste in elk vakje en in geen enkel vakje tegelijk, waardoor er uiteindelijk maar één vakje restte. En de mensen in dat vakje waren niet te helpen. Die kon je alleen maar uit de maatschappij halen. Hoe triest dat ook was. Zelfs in de psychiatrie was er een enkeling die eerlijk toegaf dat hoewel kinderen uit dat ene vakje behandeld werden omdat men zich daartoe verplicht voelde, de begeleiders er zelf geen raad mee wisten.

Via de achteruitkijkspiegel zag hij de eerste kinderen uit de schoolpoort komen.

Hij knikte naar een patiënte. Toen de vrouw maar niet zwanger raakte, koos ze voor in-vitrofertilisatie. Het kind werd verwekt en geboren in een ziekenhuis en zou er bijna constant verblijven tijdens haar eerste levensjaren. Als peuter onderging het meisje kort na elkaar alle kinderziektes, tot grote ongerustheid van de ouders. Hij stelde ze op hun gemak. Maar het meisje bleef ziekelijk, te klein en te mager voor haar leeftijd. Als een ziekte de ronde deed, werd zij er als eerste door geveld.

Haar moeder hield haar dochter stevig bij de hand, alsof ze bang was dat het kind zou breken of wegwaaien als ze losliet. De vrouw keek nog eens achterom. Hij stak zijn hand op. Ze glimlachte nerveus en wandelde snel verder.

Chris wilde best voor een ziekelijke dochter zorgen. Hij had het prima gevonden om uren in het ziekenhuis door te brengen, wachtend tot ze van onder de scanner kwam of ijsberend terwijl een specialist een onderzoek uitvoerde. Misschien had hij kunnen regelen dat de zaken een beetje sneller gingen, dat de artsen toch dat ene gaatje vonden in hun agenda of haar met extra aandacht onderzochten. Want ze was de dochter van dokter Walschap, en vooral de kleindochter van hártchirurg Walschap.

In zo'n gezin zou zijn rol duidelijk geweest zijn: hij

boog zich over alle medische zaken, hij nam contact op met collega's, bestudeerde foto's en verslagen, stelde moeder en dochter gerust. Het zou een gezin met problemen gebleven zijn, maar ook met periodes van geluk. Hij stelde zich voor hoe hij en de moeder aan het bed van het meisje zaten. Hij voelde aan haar voorhoofd terwijl de moeder door haar haren streelde. Geen koorts, zei hij. Het meisje glimlachte. De moeder ook. *Dan kunnen we morgen naar het pretpark.*

Enkele jaren eerder had de vader dit gezin verlaten. Op een dag pakte hij zijn koffers en ging samenhokken in het tweekamerappartementje van een jongere, kinderloze collega. Terwijl de man zich in de illusie van een nieuw, zorgeloos leven stortte, nam de moeder, die over zijn vertrek niet klaagde, in stilte de zorg voor hun dochter op zich.

Ondanks de zorgen straalde de vrouw een apart soort schoonheid uit. Elke keer dat ze op het spreekuur kwam, hing er een spanning in de praktijk. Niet de spanning die sommige andere vrouwen bij hem probeerden op te wekken door al te enthousiast om een borstonderzoek te vragen of een onbestaande huiduitslag tussen hun dijen te simuleren.

Zij hoefde alleen naar hem te kijken en hij kreeg een stomp in de maag. Voelde zij dat ook? Keek ze hem daarom altijd iets te lang in de ogen?

Een luide klap tegen de auto.

Aan de passagierskant kleefde een gezicht tegen het raampje.

Sam.

De ogen staarden hem aan. Daarna duwde de jongen zich van de auto af en vervoegde zich weer bij het groepje kinderen dat elkaar plagerig van het voetpad probeerde te trekken.

Een andere jas, een andere haarkleur zelfs, hoe had hij in 's hemelsnaam kunnen denken dat het Sam was?

Waarschijnlijk gingen die jongens voetballen in het park. Of gamen bij iemand thuis, zoals normale elfjarigen doen.

Een vrolijke deun weerklonk en instinctief haalde Chris zijn telefoon uit zijn jaszak. Nog voor hij had gecontroleerd wie er belde, zei hij: 'Met Walschap.'

Hij vervloekte zichzelf dat hij had opgenomen toen hij de stem hoorde. En dat hij was vergeten de automatische doorschakeling naar zijn mobiel uit te zetten.

'Dag, dokter, met Suzanne.'

Ze hoefde haar familienaam niet te noemen. Chris keek naar een meisje dat in een auto stapte. Ze kuste de vrouw achter het stuur en de auto manoeuvreerde uit de parkeerplaats.

'Suzanne, ik ben momenteel ...'

'Ik stoor toch niet, dokter?'

Het had geen zin om ja te zeggen.

'Mijn maagpijn is grotendeels over, dank u, maar ik heb nu erge last van een droge hoest. Elke ochtend word ik er wakker van. Verschrikkelijk is het, en het doet pijn aan mijn longen. Een branderig gevoel, alsof het ontstoken is.'

'Slaap je met de ramen dicht?'

'Het zijn de symptomen van ...' Een droge hoestbui galmde in zijn oor. 'Goh, wat doet dat pijn. Een longontsteking, het kan niet anders.'

‘Slaap je met de ramen dicht, Suzanne?’

‘Natuurlijk, het is al koud ’s nachts. En ik wil geen vieze beesten binnen.’

‘En heb je de verwarming aanstaan?’

‘Vanzelfsprekend.’

‘Zet je ramen wat meer open. En plaats een keteltje met water op de radiatoren. De lucht in je huis is te droog. Als je binnen een week nog hoest, kom dan naar mijn spreekuur. Dat is beter dan me te bellen.’

‘Ik denk toch dat er meer aan de hand is, hoor, dokter. Ik bedoel, met mijn ramen ...’

‘Probeer het.’

‘Maar op internet ...’

‘Dag, Suzanne.’

Hij hing op. Waarom liet hij zich er steeds weer toe verleiden te antwoorden op haar vragen? Suzanne was de ergste hypochonder onder zijn patiënten – een hoestbui was een longontsteking, hoofdpijn een hersentumor en elke pukkel beginnende huidkanker. Hij moest haar gewoon meteen doorverwijzen naar zijn spreekuur. Dit soort gratis consulten via de telefoon kostten hem te veel tijd. Als ze om die reden zijn praktijk zou verlaten, dan was het maar zo.

Hij keek in de achteruitkijkspiegel en besefte dat hij de volgende dag geen praktijk meer zou hebben. Er kwamen meisjes naar buiten, gevolgd door twee onderwijzers. Daarna niemand meer. Was Sam hem al gepasseerd? Had hij hem gemist? Chris keek op het klokje in het dashboard. De school was al een kwartier uit, alle andere auto’s waren weggereden. Misschien was Sam de straat overgestoken en voorbijgewandeld toen Suzanne hem belde. Hij sloeg met zijn vuist op het stuur en beet op zijn duim. In de achteruitkijkspiegel bleef de schoolpoort leeg.

Hij nam de autosleutel vast. Als hij hem omdraaide, was zijn plan mislukt.

Nog een laatste keer keek hij in de spiegel.

Daar kwam Sam. Zijn handen in de zakken en het hoofd gebogen. Kon het anders, als je zo vaak van school veranderde?

Chris ademde langzaam uit.

Hij liet het raam aan de passagierskant zakken.

'Sam!'

De jongen draaide kort zijn hoofd en wandelde verder.

'Sam!'

Hij stond stil. Keek om. Herkende zijn vader.

De zoon keerde op zijn passen terug.

'Stap in, Sam.'

Hij aarzelde.

'Mama wil dat ik te voet naar huis ga.'

Chris glimlachte.

'Ik heb het met mama besproken. Het is in orde.'

De jongen keek de straat in, alsof hij de mogelijkheden overdacht. Toen liep hij verder. De motor kwam zacht tot leven. Chris liet de koppeling los en de auto rolde rustig vooruit.

'Mama vertelde dat je een herbarium moet maken.'

De jongen stopte en haalde zijn schouders op.

'Wat zeg je ervan als we het nu doen, je herbarium? Mama vindt het een goed idee.'

Sam twijfelde.

'Kom op', zei Chris. 'Lekker naar het bos.'

Sam haalde een hand door zijn haar, precies zoals zijn moeder het deed.

'Het hoeft niet vandaag. Het kan ook in het weekend', zei de jongen. De rugzak gleed van zijn schouder. Hij trok hem weer omhoog.

Ze keken elkaar aan.

'Mama wil dat we het nu doen', zei Chris.

De jongen beet op zijn onderlip.

'Anders komt het er niet meer van.'

'Maar ik wil ...'

'Verdomme, Sam!'

Zijn zoon opende het portier en ging op de passagiersstoel zitten.

8

'Ik werd ongerust, want hij moest naar blokfluitles. Op woensdagnamiddag dwaalt hij weleens rond in de stad, of hij kijkt naar de vissers aan de rivier. Sam heeft de gewoonte om zich niet aan afspraken te houden. Als je met hem afspreekt, lijkt het wel alsof hij met opzet niet komt of in ieder geval flink te laat.'

Tess knikt.

'Maar naar zijn blokfluitles keek hij uit. Ik merk het aan zijn manier van doen of hij iets echt meent of doet alsof. Ik zie het aan zijn houding, aan zijn ogen.'

Charlotte bloost, ze lijkt beschaamd het te zeggen. Alsof ze voor die uitspraak ooit belachelijk is gemaakt.

'Het moederinstinct', zegt Tess. 'Daar geloof ik wel in.'

'Ik probeerde hem te bellen, maar hij nam niet op. Ook op een sms reageerde hij niet. Toen raakte ik een beetje in paniek.'

Ze laat haar hoofd zakken, kijkt in de beker en neemt een slok. De koffie moet ondertussen koud zijn, maar ze geeft geen krimp. Dan gooit ze haar armen in de lucht en laat ze op de tafel vallen.

'Ik begrijp niet waarom je dit allemaal wil weten.' Haar ogen staan uitdagend. 'Chris heeft 'm, dat heb ik je al gezegd. Jullie moeten gewoon achter hém aan. Hij rijdt in een ...'

'Zwarte Citroën c5. Dat weten we, Charlotte. Alle patrouilles kennen zijn kentekenplaat. We zoeken de hele stad af. Maar Chris is een naald in een hooiberg. En om die uit te dunnen, moet ik meer van je weten. Wat voor jou vanzelfsprekend lijkt, kan voor ons van cruciaal belang zijn.'

Charlotte knikt.

'Vertel maar verder.'

Ze neemt nog een slok.

'Ik belde eerst naar Emely. Daar was hij niet.'

'Wie is Emely?'

'Sams vriendinnetje. Niet dat ze iets hebben of zo, hij trekt gewoon vaak met haar op. Ze was vroeger ons buurmeisje.'

'Oké, ga verder.'

'Daarna belde ik mijn ouders. Ze verwennen hem nogal. Misschien was hij bij hen op bezoek. Sam is impulsief, hij kan het zomaar in zijn hoofd krijgen ergens naartoe te gaan.'

Het valt Tess op dat Charlotte zich voortdurend voor haar zoon verantwoordt. Als een reflex.

'Daar was hij ook niet?'

'Nee.'

Ze glimlacht flauwtjes.

'Toen probeerde ik het bij de school. De mevrouw van het secretariaat nam op. Ik had geluk, want zij stond die middag aan de schoolpoort om de kinderen te begeleiden als ze de straat oversteken.'

'Heeft zij Sam gezien?'

'Ja. Ze wilde net teruggaan naar het secretariaat toen Sam kwam aansloffen. Hij heeft een nogal verveelde manier van wandelen, zoals zo veel jonge tieners. Daarom bleef ze nog even bij de schoolpoort staan. Toen zag ze dat Sam in de auto van Chris stapte.'

'Zei ze dat het Chris' auto was?'

'Een zwarte auto, zei ze. Dat kan alleen maar Chris zijn.'

Er zijn wel meer zwarte auto's, denkt Tess.

'We gaan die vrouw nog ondervragen. Heb je daarna Chris gebeld?'

'Onmiddellijk, ja.'

'Naar zijn praktijk of mobiel?'

'Mobiel. De telefoon in zijn praktijk schakelt sowieso door naar zijn mobiel.'

'Oké. Hoelang is dat geleden?'

'Net voor ik hiernaartoe kwam. Een kwartier geleden? Een half uur misschien?'

'Hoe reageerde hij?'

'Ik vroeg hem of Sam bij hem was.'

'En?'

'Hij draaide eromheen. Hij lachte me uit en toen kregen we ruzie.'

'Wat zei hij precies?'

'Hij vroeg me waarom ik wilde weten of Sam bij hem was. En toen begon hij weer dat Sam een bedreiging is voor de maatschappij en dat hij gestopt moet worden. Hij ging een einde aan Sams leven maken.'

'Dat zei hij zo, letterlijk?'

'Hij schreeuwde. Heel precies herinner ik het me niet meer. Maar het was iets in die trant.' Ze roept, Chris nabootsend: '"Het is genoeg geweest! Ik ga er een eind aan maken!"'

'Hij noemde Sam niet bij naam?'

Charlottes gezicht betrekt.

'Is het nodig dat hij Sams naam noemde? Is dat geloofwaardiger? Want dan herhaal ik het wel met Sams naam erbij.'

'Dat is niet nodig. Kon je horen waar hij was?'

'Nee, hoe zou ik dat kunnen horen?'

'Is je tijdens het gesprek iets bijzonders opgevallen?'

'Nee, ik was zo overdonderd ...'

'Was Chris goed te verstaan?'

Ze denkt even na.

'Ik hoorde veel ruis.'

'Kon je iets herkennen in die ruis?'

'Nee. Hij begon te schreeuwen en toen viel de verbinding weg.'

'Heb je geprobeerd hem terug te bellen?'

'Ja. Ik kreeg enkel nog de voicemail.'

Er wordt op de deur geklopt. Charlotte kijkt geërgerd naar de blonde krullenbol die achter de deur komt piepen. Frank, Tess' beste maatje in het korps.

'Tess, heb je even?'

'Zo terug.'

Tess knikt verontschuldigend naar Charlotte. Op de gang gaan zij en Frank bij de koffieautomaat staan.

'Hij neemt zijn telefoon niet op en hij is niet thuis', zegt Frank. 'Tenminste, hij doet de deur niet open. En het kan nog een tijdje duren voor we een huiszoekingsbevel hebben.'

Hij rolt met zijn ogen. De procedures, ze kent ze goed genoeg.

'De buren?'

'Dommige mensen, verwaarlozen zichzelf. Weten van niets omdat niets hun interesseert.'

'En aan de andere kant?'

'Niet thuis.'

'Overkant?'

Hij zucht.

'Tess, ik ben geen groentje. Ook niet thuis. Nogal wat mensen zijn aan het werk op dit uur.'

'De jongen?'

'Zijn telefoon gaat over, maar hij neemt niet op. We proberen hem te traceren.'

Tess draait zich naar het koffieautomaat, neemt een bekertje en kiest een koffie met melk.

'Er is duidelijk iets aan de hand, maar ik vraag me af ... hoe ver het gaat.'

'Walschaps signalement is naar alle Schengenlanden verstuurd. Normaal gesproken komt hij geen enkele grens meer over.'

Ze trekt haar wenkbrauwen op.

'Normaal gesproken, zei ik. We zouden een goede foto moeten hebben van de twee. We vonden een pasfoto van Walschap op de site van de huisartsenkring, maar die is al jaren oud. Waarschijnlijk dezelfde als op zijn rijbewijs.'

'Ik zorg ervoor.'

Tess neemt een slok van de koffie en trekt een gezicht. Ze zet het bekertje op een tafel naast de automaat. Daar staan al een paar halfvolle bekertjes. Te heet bevonden en uiteindelijk vergeten.

'Wat denk jij hiervan, Frank?'

'Een zorgwekkende verdwijning. Veel kans dat die vent zijn zoon heeft ontvoerd. Ze zijn gescheiden en hij heeft een contactverbod. Er slaan er voor minder door.'

'En dat hij hem vermoordt?'

Frank haalt snuivend zijn neus op.

'Ik zie het niet meteen, een vader die zijn zoon ...'

'Dat denk ik ook.'

Frank neemt Tess' bekertje van de tafel en slokt de koffie in één teug naar binnen. Hij buigt naar haar toe.

'Maar we moeten rekening houden met de mogelijkheid. Voor alles is er een eerste keer.'

9

Zijn bange vermoeden werd voor het eerst bevestigd in de bar van een Zwitsers hotel. Chris typte de woorden in een zoekmachine. Hij had een poos naar het lege vakje op het scherm gestaard, waarin het streepje ongeduldig knipperde. Hij had om zich heen gekeken, niemand lette op hem. Hij kon zich niet bedwingen, hij wilde de bevestiging van wat hij eigenlijk al wist. Toen hadden zijn vingers razendsnel de woorden gevormd: *psychopathie bij kinderen.*

Zijn hand trilde toen hij op de entertoets drukte. Een fractie van een seconde later kwam het antwoord.

Ongeveer 91.800 resultaten. Weer meer dan de vorige keren.

Een groot aantal ervan had hij al eens aangeklikt. Nu gleed de cursor over een link naar een artikel uit een tijdschrift over psychiatrie. Hij klikte het aan.

Wanneer men zich over het onderwerp buigt, wordt men direct geconfronteerd met terminologische problemen.

Chris had geen behoefte aan semantisch geneuzel. Hij scrolde.

'Wat ben je aan 't doen?'

Hij klikte het tabblad weg. In de plaats daarvan kwam het blauw van zijn Facebookprofiel. Hij sloeg zijn ogen op. Charlotte zette een glas witte wijn op het salontafeltje. Daarna plofte ze in de fauteuil tegenover hem. Ze zuchtte alsof ze het ding daar zelf naartoe had moeten slepen.

'Iets gepost op Facebook', zei hij.

'Wat?' Haar kapsel zat wild, ze had er voortdurend haar hand doorheen gejaagd, zoals steeds als Sam iets had uitgespookt.

'Wat heb je gepost?' vroeg ze opnieuw, nog voor hij kon antwoorden.

Hij sloeg zijn blik terug op het scherm. Er verscheen net een foto van een dikke kat. Een close-up van de kop, de ogen dicht, de oren achterover, de tong tussen twee opengesperde tenen. *Minoes eet zelfgemaakte kaas*, stond erbij.

Hij scrolde naar zijn eigen post, die hij had gemaakt voor het geval Charlotte hem betrapte.

'Hoge toppen en diepe dalen.'

'En dat vind je leuk?'

Ze snoof. Op dezelfde manier als wanneer ze beschimmeld vlees in de koelkast vond. Hij zweeg.

'Nee, werkelijk, dat vind je gepast?'

Ze pakte haar glas, nam een slok en zette het hard terug op het tafeltje. Chris keek rond in de bar. Alleen vrolijke gezichten, wat wilde je anders op vakantie?

Charlotte hoefde geen antwoord.

'Hij slaapt', zei ze. Ze ging weer met haar hand door

haar haar. 'Het heeft een tijd geduurd, maar uiteindelijk is hij gekalmeerd. Dankzij Beer.'

'We danken de hemel voor Beer', zei Chris.

Een man in een felgroen T-shirt en korte broek kwam op hen af, zwenkte vervolgens breed grijnzend naar het salonnetje achter hen, waar hij vier pinten op de tafel zette. Zijn vrolijkheid irriteerde Chris, zijn onverbloemd geluk.

'Je denkt dat hij het met opzet deed, hè?'

Hij negeerde haar blik. De man vertelde iets wat aan de bar was gebeurd, het gezelschap hief lachend het glas en dronk.

'Ik denk niet dat je zoiets per ongeluk doet', zei Chris.

'Nee, wat ik bedoel is: je denkt dat hij het met opzet deed om iemand te verwonden.'

Chris haalde zijn schouders op.

'Dat vind ik ongelooflijk van je, Chris, dat je zoiets denkt.'

De man in het groene T-shirt fluisterde iets tegen zijn gezelschap, dat zachtjes begon te lachen. Chris' blik vond die van de vrouw tegenover hem. Ze keek snel weg. Jij kunt mensen met je ogen doodbliksemen, had Charlotte hem ooit gezegd.

'Ik ga slapen. Tot straks.'

Charlotte stond op, bracht haar glas naar de toog en wandelde de bar uit. In de deuropening kruiste ze een gezin dat even bleef staan en de ruimte afspeurde op zoek naar een zitplaats. Hun blik bleef bij hem hangen. Chris zette de laptop uit, nam zijn trui, knikte naar de vader van het gezin en wees de fauteuils aan, als teken dat hij wegging. Ze kwamen dichterbij.

'Dank u', zei de man toen hij hem passeerde.

‘Graag gedaan’, antwoordde Chris.

Een dochter van ongeveer dertien jaar, de jongen leek van Sams leeftijd. Zou hij erbij geweest zijn deze middag?

De brede trap naar de begane grond nam hij in vijf passen, in de lobby passeerde hij een gepensioneerd koppel dat kranten las en commentaar gaf op het weer in het thuisland. Bij de receptie vroeg hij een medewerkster of ze de laptop voor hem wilde bewaren. Hij gaf zijn kamernummer op, ze knikte vriendelijk en verdween met de laptop achter een gordijn. Toen ze terugkwam, zei ze nog: ‘Uw computer is veilig bij ons, meneer Walschap. Geniet van uw wandeling.’

Buiten deed hij de trui aan. Het hotel lag in een dal, dat overdag broeide als een hooikist. ’s Avonds koelde het snel af, en ’s nachts kon het erg koud worden. De toppen van de bergen en hun eeuwige sneeuw waren niet meer te zien. Er kroop mist naar beneden, en even twijfelde hij of hij niet beter naar de kamer kon gaan, Charlotte omhelzen, die hem nog altijd kwaad zou wegduwen, maar uiteindelijk bij het ontwaken toch weer tegen hem zou aanschurken.

Hij ging de nacht in. Langs het parkeerterrein het grindpad af, dan de asfaltweg omhoog, de steile weg op die tegen de bergwand slingerde. Daar was het gebeurd.

Al snel kreeg hij het te warm. Zijn belabberde conditie en de kwaliteit van de trui weerstonden de koude nacht. Chris bleef staan. Het hotel lag beneden hem, licht uit de lobby en de hotelkamers scheen zwak in het duister, als een eenzaam schip in een oceaan. De Titanic. Verder naar beneden, lichtjes uit het dorp. De reddingssloepen.

De mist daalde steeds dieper neer. Binnen enkele uren zou het dal onder deze deken liggen. Ver kon het niet meer zijn. De helling was te steil voor een groep zes- tot achtjarigen. Ze waren verderop het bos in gegaan, naar het speelplein bij het bergriviertje.

Toen zag hij ze. Verspreid op de helling leken het dwergen die de wacht hielden, of trollen uit een sprookjeswereld. De weg maakte een bocht om de boomstammetjes heen. Toen hij boven ze stond, ging hij van de weg af. Zijn kuiten spanden. De boomstammetjes waren ongeveer een meter hoog en hij begreep niet om welke reden ze op deze helling waren geplaatst. Hij wandelde naar beneden. Bij een van de stammetjes bleef hij staan. Hij boog door zijn knieën en duwde het omver. De eerste meters rolde het ding loom naar beneden, maar daarna kreeg het snelheid.

'Opgepast!' schreeuwde Chris. Zijn stem sloeg over. Deze middag hadden de stammetjes niemand geraakt, het was niet de bedoeling dat het nu wel gebeurde.

Het stammetje knalde op de weg beneden hem en verdween. Hij bleef een tijdje staan, luisterend naar de stilte, terwijl de mist stilaan langs zijn enkels kroop. Hij duwde een tweede stammetje om, dat op dezelfde manier als het eerste naar beneden denderde.

'Opgelet!' riep hij.

Met zijn handen in zijn zij keek hij in het duister. Dit kon Sam niet leuk gevonden hebben. Stammetjes naar beneden duwen was saai. Het was vast veel leuker als er beneden op de weg nog mensen wandelden. Mensen op wie je kon mikken.

Het werd steeds moeilijker om vormen te onderscheiden. Tijd om terug te keren. In de mist, die hem nu helemaal omringde, dwaalden zijn gedachten af naar het gesprek met de leiding van de kinderclub.

Zoals de stammetjes over de helling gerold hadden, rolden de tranen over Sams wangen tijdens dat gesprek: eerst traag, aarzelend, daarna steeds overvloediger. Het dikke meisje, in wie Chris een kleuterleidster of een schooljuffrouw vermoedde – iemand met voldoende vrije tijd om kinderclubs op familiereizen te begeleiden – nam het woord.

'Het lijkt ons beter dat Sam niet meer naar de club komt', zei ze. Ze keek naar haar collega, een lange slungel met een brilletje, ongetwijfeld nog een student. Hij zei niets, hij staarde Charlotte en Chris aan alsof hij in hun gezicht de karaktertrekken wilde herkennen van de ontaarde zoon. Psychologie. Of sociologie. Zoiets studeerde hij, gokte Chris. Pedagogie kon ook.

'Je gaat me niet wijsmaken dat Sam de enige was die stammetjes omverduwde', beet Charlotte het meisje toe. Zij opende haar mond, twijfelde en zocht hulp bij de jongen, maar die had enkel aandacht voor zijn handen.

'Sam is ermee begonnen. Hij rende voor de groep uit, samen met twee andere jongens. Plots vloog er een stammetje over de weg. De kinderen schrokken zich een ongeluk.'

Het meisje pauzeerde, ze verwachtte dat Chris en Charlotte onder de indruk zouden zijn.

'U weet toch hoe kinderen zijn', zei Charlotte. 'Ze doen domme dingen, zonder kwaad in de zin. Er is toch niemand gewond geraakt?'

'Het is een wonder', zei het meisje. De vriendelijkheid in haar stem maakte plaats voor ergernis. 'Toen Sam de meisjes zag gillen, mikte hij op hen.'

'Dat is niet waar!' huilde Sam. 'Het was Jules die op de meisjes mikte!'

'Dus hij was niet de enige,' zei Charlotte, 'die Jules deed het ook.'

'Ja,' fluisterde Sam, 'en Ward!'

'Twee andere jongens deden hem na,' zei het meisje met tegenzin, 'maar toen we ze vroegen ermee te stoppen, ging alleen Sam door.'

'Ik heb het niet gehoord, mama', huilde Sam. 'Ik heb het niet gehoord toen ze het vroegen! Jules riep dat we door moesten gaan, dat het leuk was!'

Hij sloeg zijn armen rond haar nek en Charlotte trok hem dicht tegen zich aan.

'Ik wist niet dat de meisjes bang waren', snikte de jongen.

Het meisje keek weer naar haar collega. Hij staarde naar Sam, die tegen Charlotte aankroop.

'Toen Benny naar Sam toe klom om hem te stoppen, duwde hij een stammetje recht op hem af.'

De adamsappel van Benny wipte op en neer.

'Hij kon maar net wegspringen.'

Volgens Chris had Benny ook maar net kunnen wegspringen als er een tandenstoker naar beneden was gerold. Maar dat maakte de kwestie niet minder erg.

'Worden de andere jongens ook uit de club gezet?' vroeg Charlotte.

Het meisje zocht Chris' blik. Hij draaide zijn hoofd naar het grote raam, dat een mooi zicht bood op de besneeuwde bergtoppen.

'De twee jongens die stammetjes gooiden', verduidelijkte Charlotte. 'Die moeten toch ook uit de club?'

'Met die jongens is het anders.'

'Hoe anders?' Charlotte boog zich naar voren.

'Ze werden ... Ze ...' Het meisje begreep dat ze zich enkel nog dieper in de nesten werkte.

'Nee, leg me dat nu maar eens uit, juffrouw, wat er precies anders is bij die jongens.'

Het meisje zuchtte.

'We denken dat het beter is voor de sfeer in de groep dat Sam niet meer komt', zei ze. Ze bleef naar Chris kijken. Ze verwachtte dat hij een einde aan de discussie maakte.

'Twee maten, vind ik dit', zei Charlotte. Ze stootte Chris aan. 'Zeg jij eens wat.'

Chris ademde diep in.

'Sam zal niet meer naar de club komen.'

Er viel een stilte. Benny en het dikke meisje rechtten hun rug. Chris negeerde Charlotte. Het meisje stond opgelucht op. Ze maakte zich snel uit de voeten, alsof ze bang was dat Chris op zijn woorden zou terugkomen. De jongen volgde haar, met in zijn ogen een soort gefascineerde weerzin.

Chris, Charlotte en Sam bleven zitten. Ze zwegen.

'Goh, Chris, wat ben jij geweldig', zei Charlotte ten slotte.

Terwijl hij van de berg afdaalde, omgeven door duisternis en dikke mist, dacht Chris aan een ander gesprek, toen Charlotte en hij uitgenodigd waren bij de directeur van Sams school. Het kantoor van de directeur was robuust, met een dik tapijt en zware gordijnen die het een gevoel van beslotenheid gaven – wat in die kamer werd gezegd, bleef in die kamer. Het donkere hout oogde streng, een goede manier om moeilijke leerlingen te intimideren als ze op het matje geroepen werden. Onwrikbaar ook: als je binnenkwam, wist je al dat je ging verliezen. Als sterveling kon je niet op tegen de eeuwenlange traditie en ervaring die in deze kamer hingen, versterkt door de buste van de stichter van de school, die vanaf de schouw neerkeek op wat er in de directeurskamer gebeurde.

De directeur, zich bewust van de uitstraling van zijn kantoor, bood hun koffie aan en stelde hen gerust.

'De oprichter van de school hield van discipline,' zei hij terwijl hij naar de buste wees, 'maar op een menselijke manier. Die traditie houden we in ere.'

Hij glimlachte vriendelijk.

'Meneer en mevrouw Walschap, ik ga ter zake komen. U bent al nerveus genoeg. Ik zal beginnen met een wat vreemde vraag.'

De directeur duwde een krant een beetje opzij en vouwde zijn handen op het bureau.

'Gaat u soms zwemmen met Sam?'

Charlotte lachte, verbaasd door de vraag.

'Soms', zei ze. 'Als er een zwembad is op onze vakantiebestemming. En ik volgde ook lessen peuterzwemmen met Sam.'

De directeur leunde achterover. Het leer van zijn stoel kraakte.

'Waren er ooit problemen?'

'Nee', zei Charlotte. 'Integendeel, Sam genoot ervan.' Ze keek naar Chris en zei: 'Misschien moeten we eens vaker naar het zwembad.'

Chris knikte.

'Sams klas is de voorbije drie weken gestart met

zwemles, dat weet u. Heeft Sam u verteld dat de lessen elke keer stilgelegd moesten worden?'

'Nee', zei Charlotte. 'Wat is er gebeurd?'

'Sam kreeg een ongelukje.'

Chris zag het beeld van bloedspatten op witte zwembadtegels.

'Wat voor ongelukje?' vroeg Charlotte met verbazing in haar stem.

'De grote boodschap, zeg maar. Het gebeurde altijd pas als hij in het water was. De laatste keer liet de zwemleraar hem eerst naar het toilet gaan, maar dat hielp niet. Sam heeft u er niets over verteld?'

'Nee.' Charlotte schudde het hoofd en slikte.

'Ik vertel het u nu pas omdat we eerst zelf wilden onderzoeken of we het konden oplossen. Kinderen die voor de eerste keer zwemmen, u begrijpt wel wat ik bedoel. Maar ik wist niet dat Sam al gezwommen had als peuter. Hij zei me dat het de eerste keer was.'

'Er is een groot verschil tussen zwemmen met de klas en zwemmen met mama', zei Charlotte.

'Inderdaad, mevrouw Walschap. Het probleem is echter geëscaleerd. Het was voor de andere kinderen vervelend dat de lessen werden stilgelegd. Ze hadden er erg naar uitgekeken.' Hij boog zich naar voren. 'Vandaag hebben twee jongens hem aangevallen op het schoolplein. Het begon met wat schelden, ze hebben wat getrokken en geduwd, maar in de toiletten zijn ze op hem in gaan slaan.'

'Jezus.'

'De toezichthoudende leerkracht heeft ze uit elkaar gehaald. De jongens die Sam hebben aangevallen, zijn enkele dagen geschorst.'

‘Goed zo’, zei Charlotte.

‘Sam heeft ook klappen uitgedeeld, maar dat beschouwen we als zelfverdediging. Hij is wat ons betreft het slachtoffer in deze zaak.’

‘Natuurlijk’, zei Charlotte.

‘Sam heeft het niet gemakkelijk in de klas’, ging de directeur verder. ‘Hij maakt moeilijk contact en raakt vaak betrokken bij ruzies. Het klikt niet met zijn klasgenoten.’

Hij pauzeerde even en keek hen om de beurt aan. Hij had onaangenaam nieuws te vertellen, dat sprak uit zijn houding. Chris herkende het maar al te goed, je hoefde hem niet te leren hoe je slecht nieuws bracht. Eerst de boel wat kalmeren, even pauzeren om de juiste woorden te vinden en dan pats, recht in het gezicht.

‘Volgens de klasleraar heeft hij u dat al eerder gemeld.’

‘Dat klopt’, zei Chris. ‘Bij elke rapportbespreking.’

‘Hij stelde u ook voor Sam een gesprek te laten hebben met de psychologe van de leerlingenbegeleiding.’

Chris wist waarop de directeur aanstuurde.

‘Maar Sam is nooit bij haar geweest.’

‘We dachten dat het slechts een aanbeveling was’, zei Chris. ‘We vonden het vreemd om een gepest kind naar de psycholoog te sturen. Normaal gesproken worden de pesters gestraft, niet de gepeste.’

‘Zo’n gesprek is geen straf. Het is een middel om de situatie te verhelderen. Als arts kent u wellicht gelijksoortige situaties?’

‘Wat ik als arts doe, behoort tot het beroepsgeheim’, zei Chris. ‘En met mijn drukke agenda is het niet gemakkelijk om met Sam naar de leerlingenbegeleiding te gaan.’

Hij keek naar Charlotte, ze zweeg. Ze begreep dat dit zijn terrein was.

'U hoeft er niet bij te zijn, meneer Walschap. Waarschijnlijk was dat een misverstand. Het gesprek is tussen Sam en de psychologe. U wordt er uiteraard over ingelicht, als daarmee Sams privacy niet geschonden wordt.'

Chris trok zijn wenkbrauwen op.

'We vinden het echt belangrijk dat Sam een gesprek heeft met de psychologe', zei de directeur. 'Voor het uit de hand loopt. Daar kunt u toch inkomen?'

Chris haalde zijn schouders op. Hij geloofde er niet in, maar dat hield hij voor zich.

'Het hangt allemaal af van de kwaliteit van de psychologe', zei hij.

'Die is uitstekend', zei de directeur. 'We hebben een afspraak met haar gemaakt voor volgende week woensdag. Ondertussen is Sam vrijgesteld van de zwemles. We willen de andere kinderen toch nog een klein beetje leren drijven.'

Hij lachte, maar stopte daar abrupt mee toen hij Chris' en Charlottes gezichten zag.

'Zou het watervrees zijn?' vroeg Charlotte op de terugweg naar huis. Ze ademde zwaar.

'Waar komt die dan zo plots vandaan?' zei Chris. 'Hij voelde zich altijd als een vis in het water.'

'Misschien is hij bang voor zijn klasgenoten.'

'Je behoefte doen in het zwembad associeer ik eerder met ontspanning dan met angst.'

Chris lette op het verkeer.

'Vreemd dat je het niet gemerkt hebt aan zijn zwembroek', zei hij.

'Ik gooi dat ding gewoon bij de was. Ik let er niet op of hij vuil is, of zo.'

Ze dacht na.

'Misschien waste hij hem zelf uit, want ik heb echt niets gemerkt.'

Ze reden even in stilte verder.

'Wat vind je van het idee van een psychologe?' vroeg ze plots. 'Mij lijkt het wel wat', zei ze er snel achteraan.

Chris schakelde een versnelling terug. Hij naderde een rood licht en de voorligger ging nogal bruusk op de remmen staan.

'Dat haalt niets uit. Bij de leerlingenbegeleiding zitten niet meteen de grootste talenten.'

'Het kan hem helpen. Het kan ons een verklaring geven. Misschien leert ze hem hoe hij om moet gaan met die pestkoppen.'

'Uit ervaring weet ik dat psychologen doorgaans meer kwaad dan goed doen.'

Sam zou de psychologe probleemloos rond zijn vinger winden, daarvan was Chris zeker.

'Het haalt niets uit', zei Chris nog eens.

'Ik vind het juist goed dat hij gaat. We hadden al veel eerder ...'

'Verwacht er maar niet te veel van.'

Charlotte zuchtte.

'Ik wil zelf eens met Sam gaan zwemmen', zei ze na een korte stilte. 'Gewoon gezellig met zijn tweetjes, en dan kunnen we ook een beetje babbelen.'

'Ah? Word jij nu zijn psychologe?'

Ze negeerde zijn opmerking. Vanuit zijn ooghoek zag hij dat ze enkele keren haar mond opende en weer sloot.

'Maar niet in het openbare zwembad. Want als het daar ook gebeurt ...'

Ze aarzelde.

'Denk je dat ik met Sam bij je ouders kan zwemmen?'

Chris' zicht vertroebelde. Het zwembad van zijn ouders. Daar was hij al sinds zijn elfde jaar niet meer in geweest. De herinnering eraan benauwde hem.

'Je hoeft niet mee te gaan als je hen niet wil zien.'

Ze legde haar hand op zijn onderarm. De kop van de versnellingspook brandde in zijn hand, hij kneep zo hard dat zijn knokkels pijn deden. Toen het licht op groen sprong, liet hij de gaspedaal te snel los, waardoor de auto met een schok vooruitschoot. Ze haalde haar hand weg. Hij miste meteen de geruststellende warmte ervan.

'Ik ... ik zal het ze vragen', zei hij. Hij verafschuwde het idee. Niemand zou daar nog moeten zwemmen na wat er was gebeurd. De hand was terug. Gelukkig.

'Bedankt, Chris.'

Chris wuifde hen uit, Charlotte wuifde terug. Nadat de auto in de bocht was verdwenen en hij de deur achter zich had dichtgetrokken, ijsbeerde hij door het huis. De rit duurde een half uur, hij schatte dat ze ongeveer een uurtje zouden doen over het praatje ter begroeting en het omkleden. Het was de vraag wat er dan zou gebeuren. Niets? Een grote boodschap? Een andere rel?

Hij ging de trap op, wandelde voorbij hun slaapkamer en die van Sam – de deur stond open en zijn oog registreerde een trui op de grond – en ging voor het raam staan op de overloop, van waaruit hij een goed zicht had op de straat. Wat verderop wandelde de buurvrouw met haar oudste dochter Emely, een meisje van Sams leeftijd. Een steek van medelijden ging door zijn hart. Een kind van die leeftijd zou niet in een goedkoop trainingspak moeten rondlopen, met haar zo vet dat je er frieten mee kon bakken. Het meisje liep gebogen, wellicht het gevolg van scoliose, die enkel nog zou verergeren door goedkope matrassen en een slechte houding.

Wat deed hij bij het raam, behalve zijn buurvrouw en buurmeisje gadeslaan? Hij besefte dat het idioot was om op hun terugkomst te wachten. Alsof hij niets beters te doen had. Bij Sams kamer hield hij halt. Hij keek de ruimte in die hij altijd verbazend Spartaans had gevonden. Behalve een kast, een tafel met stoel en een bed was de kamer leeg. Geen posters aan de muren, geen tekeningen, alleen aan Beer kon je zien dat dit een kinderkamer was. De teddybeer die Sam voor zijn derde verjaardag had gekregen van Charlottes ouders, was het enige speelgoed waaraan zijn zoon gehecht was. Thuis was Beer altijd in zijn buurt. Al het andere speelgoed verveelde hem, of was binnen de kortste keren stuk.

Een kamer als in het leger was het, behalve dat Sam zijn kleren liet slingeren. Chris raapte de trui op, gooide hem in de wasmand in de badkamer en ging de trap af. Hij drentelde in de keuken, dronk een glas water en vulde de vaatwasser.

Na drie uur waren ze nog niet terug.

Na vier uur ook niet.

Chris ging aan tafel zitten en probeerde de krant te lezen. Hij las de strips toen hij een sleutel in het slot hoorde.

Hij schoot de gang in.

Het eerste wat hij zag, was Charlottes gezicht.

Ze glunderde.

‘Het was heerlijk’, zei ze. ‘We hebben eerst – hoeveel baantjes, Sam?’

‘Tien!’ riep Sam vanuit de woonkamer, hij had de tv aangezet.

‘Tien baantjes gezwommen.’ Ze fluisterde. ‘Nu ja, erg lang is dat zwembad van je ouders natuurlijk niet.’

Hij knikte. Lang was het niet. Wel diep.

‘Daarna hebben je pa en Sam wat met een bal gegooid.’

Ze kwam tegen hem aan staan.

‘Pak me eens vast.’ Hij drukte zijn neus tegen haar hoofd, dat naar amandelbloesem rook. Op de tv was een tekenfilm. Een schaap van boetseerpasta werd een elektriciteitspaal in gekatapulteerd. Boven de fauteuil piekte Sams blonde haar, wild van de zwempartij.

Charlotte keek naar Chris op. Ze fluisterde bijna.

‘Het ging helemaal goed.’

Hij kuste haar voorhoofd.

‘Het berust allemaal op een misverstand’, zei ze.

Het schaap werd geëlektrocuteerd. Knetterend en smeulend viel het van de elektriciteitspaal. Sam grinnikte.

Uit de mist doemde het licht van het hotel op. Tegelijk sloeg bij Chris opnieuw het besef toe dat hem eerder die dag geraakt had: Sams kattekwaad was zijn onschuld verloren. De tranen, de smoesjes, het gebrek aan schuldbesef, hij keek er nu definitief doorheen, ze waren een deel van de pathologie. Sam had met opzet het zwembad bevuild. Hij had met opzet stammetjes gegooid. Hij genoot ervan. Chris was er zeker van dat hij opwinding voelde tijdens zijn wangedrag.

Vanzelfsprekend was de psychologe van de leerlingenbegeleiding er wel ingetrapt. Ze had bij Sam frustratieagressie vastgesteld, en wat had ze bedacht? Een stappenplan met een beloningssysteem. Als Sam iets goed deed, kreeg hij een sticker. Met een vol blad kreeg hij een geschenk, meestal in de vorm van een uitstapje. Charlotte had het geprobeerd. Ze had 'm stickers gegeven, ze was met 'm naar een pretpark geweest.

Op school veranderde er niets. Hij bleef betrokken bij ruzies, hij werd nog altijd gepest, hij kwam de rest van het jaar het zwembad niet meer in.

Tijdens de vakantie schreef Charlotte Sam in op een andere school.

Charlotte was nog niet klaar voor Chris' inzicht. Het was te vroeg, het zou haar kapotmaken. Hij moest het voor zichzelf houden en aan een oplossing werken. Zonder scrupules. Charlotte zou het ook ooit inzien, bij dit soort kinderen kon het niet anders.

Bij de receptie wachtte het vriendelijke meisje. Ze overhandigde hem de laptop. Hij wilde naar de kamer gaan en bij Charlotte in bed kruipen. In de plaats daarvan zocht hij een stoel in de lobby.

De computer startte traag op.

Hij wist wat hij te zien zou krijgen. Hij had al mappen vol met informatie. Het was zinloos om het nog eens op te zoeken.

Toch opende hij de zoekmachine.

En typte opnieuw de woorden in.

10

‘Er is toch medicatie om moeilijke kinderen te behandelen?’

De vraag blijft in de ruimte hangen. Tess maakt gebruik van de stilte om in de achteruitkijkspiegel te kijken. De collega’s in de oude Peugeot volgen. Mooi zo.

‘Ik ben er altijd een voorstander van geweest om professionele hulp voor Sam te zoeken’, zegt Charlotte.

‘Waarom kwam die er niet?’

Charlotte glijdt met haar vinger langs de deurhendel, alsof ze weg wil uit de auto, weg van Tess’ vragen.

‘Dat soort pillen noemt Chris geen medicatie. Medicatie pakt de oorzaak van een ziekte aan. Als het alleen de symptomen onderdrukt, is het rommel.’

‘Dat zegt hij als huisarts?’

Tess probeert Charlottes blik te vangen, maar ze blijft star naar buiten kijken.

‘Als Sam besluit met de pillen te stoppen, wordt het monster weer wakker, zegt Chris. Wat blijft er zonder pillen nog als mogelijkheid over?'

Charlotte wil haar een uitspraak ontlokken, maar daar trapt Tess niet in.

'Goed, geen pillen. Maar Chris heeft toch contact met psychologen en psychiaters?'

Charlotte lacht schamper.

'Sam is één keer bij een psychologe geweest, nadat zijn eerste school ons er zowat toe verplicht had. Chris vond het afschuwelijk.'

'Waarom vond hij het afschuwelijk?'

'Hij gelooft niet in psychologen en psychiaters.'

'Hoe komt dat?'

Het geluid van Tess' telefoon doet hen opschrikken.

Dan klikt de stem van Frank door de boxen.

'Tess, we zijn binnen.'

'Frank, we zitten nog in de auto.'

Het blijft even stil aan de andere kant.

'En?' vraagt Tess ten slotte.

'Hier is hij niet. We doorzoeken zijn spullen, maar we hebben nog enkele kamers te gaan. Het is nogal een rommeltje. Er is wel iets wat je zal interesseren. Daarom bel ik.'

Tess kijkt even naar Charlotte. Ze geeft geen kik.

'Ja?'

'De woonkamertafel ligt vol met knipselmappen. Artikelen uit kranten en van wetenschappelijke studies, netjes chronologisch verzameld.'

'Zo heb ik ook dozen vol', verzucht Charlotte.

Tess wil haar iets vragen, maar Frank komt ertussen.

'Het zijn artikelen over seriemoordenaars, verkrachters, jeugdinstellingen, studies over psychopathie ... Er zijn stukken gemarkeerd, passages die hij belangrijk vond, denk ik.'

Ze hoort hem door de mappen bladeren.

'Het vreemde is, Tess, dat de eerste map volledig bestaat uit kopieën uit oude encyclopedieën en medische boeken. En artikelen van eind jaren tachtig.'

'Eind jaren tachtig?'

'Ja, ze zijn uit kranten geknipt.'

Tess kijkt Charlotte verwonderd aan, die haar schouders ophaalt.

'Hoe oud was Chris toen?'

Ze telt het zelf na in haar hoofd.

'Hij moet ongeveer dertien jaar geweest zijn.'

11

Hij hoorde Nanny's voetstappen op de trap. Hij wachtte voor hij zijn slaapkamerdeur voor de tweede keer zou openen, tot hij haar boven zijn hoofd hoorde. Als hij in bed lag, vond hij dat altijd een geruststellend geluid: Nanny die nog wat in haar kamer rommelde, de vering van haar bed als ze ging slapen, zelfs het uitschakelen van de lamp op haar nachtkastje. Te weten dat ze daar boven hem lag, als een kloek die bij het minste gevaar haar kuikens zou beschermen.

Hij probeerde aan het geluid dat ze maakte te herkennen hoe ze zich voelde. Op moeilijke dagen klonken haar stappen harder en duurde het lawaai langer, alsof ze liep te ijsberen. Dan duurde het vaak ook langer tot hij het geluid van het nachtlampje hoorde. Of er kwam een luide plof, omdat ze haar boek naast het bed liet vallen.

Waren papa's en mama's vrienden maar een beetje stiller, want net vanavond – het was eigenlijk al nacht –

hoorde hij haar amper. Buiten waren de mannen nog aan het zingen en dat zou waarschijnlijk tot in de vroege ochtend duren. Hij mocht niet lang meer wachten, hij had maar één kans. Straks was het misschien te laat.

Chris opende de deur en nam het dienblad. Hij moest erg opletten dat hij niet morste met het drankje. Eén keer een kwade Nanny was genoeg voor een dag. Bij de kamer van Gert klonk gegrinnik. Hij stond een paar tellen stil – telde tot twintig, dat moest voldoende zijn om Gerts aandacht weer af te leiden naar de zingende feestvierders. Hij telde nog eens tot twintig om helemaal zeker te zijn en ging toen verder.

Mislukt, met een zachte piep ging Gerts deur open.

'Chris, wat doe je?' Hij giechelde.

Chris draaide zich kwaad naar zijn broer.

'Sst, wees stil', siste hij. 'Ik ga het goed maken met Nanny.'

'Wat heb je daar bij je?'

'Ik heb Nanny's lievelingsdrankje gemaakt. En er een paar van haar pillen bij gedaan om te kalmeren.'

Dat was het spannendste moment van zijn onderneming geweest, toen hij de slaapkamer van Nanny binnensloop en in haar nachtkastje de pillen zocht. Hij wist dat ze daar lagen, in zijn bed hoorde hij vaak de lade opengaan, en het schenken van water in een glas. Papa en mama spraken er soms over dat Nanny 'te veel pillen' had genomen op dagen dat ze nogal suf en ontoegankelijk was. De pillen lagen naast de papieren zakdoekjes, een voetencrème en een sleutelbos. Hij had er drie uit het doosje gehaald, ze gemalen en door het drankje geroerd. Drie pillen leken hem ideaal om Nanny een mooie, kalme nacht te bezorgen. Hij voelde dat goed aan, want later werd hij dokter, net als papa en mama.

'Goed idee', zei Gert, die ondertussen half op de gang stond.

'Blijf in je kamer', zei Chris, en hij voelde enige paniek toen het glas ging glijden op het dienblad. Hij probeerde zijn zenuwen in bedwang te houden.

'Je moet in je kamer blijven, Gert. Straks wordt Nanny weer kwaad omdat we nog wakker zijn, of omdat ik met haar drankje mors omdat jij tegen me aanbotst. Ga slapen!'

'Wo-ho,' zei Gert, 'ik kan helemaal niet slapen met papa's vrienden die zo hard zingen. En ik wil het ook goed maken met Nanny!'

'Maar jij hebt helemaal niets ...'

Hij zweeg. Hij kon niet langer op de gang staan discussiëren met zijn broertje. Nanny zou het horen en woedend de trap af komen. En Gert had gelijk: ze waren allebei naar het bos gegaan, en ze lagen allebei wakker van het dronken gezang.

'Oké dan.'

Hij ging de trap op, zijn broertje dicht achter hem aan.

'Niet duwen, straks mors ik nog', fluisterde Chris.

'Zeur niet zo.'

Boven was het een stuk warmer dan op hun verdieping. Hij voelde hoe het zweet op zijn voorhoofd kwam. Op de overloop draaide hij zich naar het laatste stuk trap, waarop geen tapijt lag. De trap die bijna alleen door Nanny werd gebruikt en die zo luid kraakte dat ze hen wel móést horen. Nanny had de hele verdieping voor zichzelf, naast een slaapkamer was er ook een salonnetje en een badkamer. Die waren voor Chris en Gert verboden terrein, en daar voor de tweede keer op één dag komen voelde aan als de grootste heiligschennis. Het gerommel in de kamer stopte, er klonken enkele haastige voetstappen en toen de deur openging, liet Chris van pure schrik bijna het dienblad vallen. Het hoofd van Nanny verscheen op de gang, donker, want er was geen licht. Alleen uit de kamer kwam licht, dat een grote schaduw van Nanny in de gang wierp.

'Ben jij dat, Chris?'

'Ja, Nanny, ik ...'

'En is Gert bij je?' Haar stem werd luider. Chris voelde zijn handen trillen en hij vreesde dat hij het dienblad niet meer kon houden.

'Ja, Nanny, ik ben er ook!' Het enthousiasme van Gert zou Nanny enkel maar kwader maken, dacht Chris. Zijn broertje kon goed pianospelen – zo goed dat sommigen hem 'een wonderkind' noemden – maar voor de rest was hij een idioot. Liep overal zonder nadenken achteraan, kwekte eerst en dacht daarna pas na. Wat Chris nooit had begrepen, was dat de meeste mensen het nog leuk vonden ook. Als Gert iets onnozels had gedaan, schaterden bepaalde vriendinnen van mama even luid als Gert zelf, ze wreven hem over zijn bol en zeiden: 'Wat ben jij een schatje.' Chris hadden ze zijn hele leven 'flink' en 'braaf' genoemd. Enkel Nanny leek te beseffen dat hij de verantwoordelijke was van de twee, dat ze altijd op hem kon rekenen, tot hij zijn stommiteit beging vandaag, tot hij zich had laten verleiden door Gerts onbezonnenheid.

'Ik wil graag mijn excuses aanbieden voor deze middag, Nanny', zei hij snel. 'Het was erg dom van me.'

'Dat is gebeurd, Chris, en we hebben het er al over

gehad, waarom kom je het dan nog eens zeggen?'

Chris zette enkele stappen dichterbij, en het licht uit Nanny's kamer viel op het dienblad.

'Ik heb uw favoriete drankje gemaakt. Dan kunt u een beetje ontspannen na deze drukke dag.'

'Het is een Aliesje, Nanny!' riep Gert.

Alsof híj het bedacht had.

Nanny's gezicht klaarde op, haar lach groef rimpeltjes in haar gezicht. Ze had ook weer die flikkering in haar ogen. Die had ze altijd als ze een 'Aliesje' maakte, een alcoholvrije cocktail die haar vooral smaakte op warme dagen, en dan zong ze: 'Met een Aliesje achter mijn kiesje krijg ik zin in mijn valiesje.'

'Dat is erg lief van jullie, jongens.'

Ze gaf hun allebei een aai over hun bol. Iets langer over die van Chris, had hij de indruk.

'Maar jullie hadden allang in dromenland moeten zijn.'

'Ik kan niet slapen, Nanny, met al die zingende vrienden van papa', zei Gert.

Nanny lachte. Minder enthousiast dan de vriendinnen van mama, maar toch stak het Chris.

'Wel, misschien moeten jullie dan maar binnenkomen, dan lees ik nog een verhaal voor terwijl ik van jullie cocktail drink. Wat denken jullie daarvan?'

'O ja!' riep Gert.

Nanny lachte weer.

'Goed, Chris?'

Ja, wat had hij gedacht? Hij had het een fantastisch idee gevonden, ook al vroeg hij zich af of het wel paste om als elfjarige nog voorgelezen te worden. Maar Nanny kon het zo goed. En ze deed het ook goed, in het begin. Dat beeld had Chris nooit losgelaten: hoe het gezicht van Nanny van het ene op het andere moment veranderd was.

12

Chris reed het parkeerterrein op tijdens de sluitingsdag van het café. Niemand in het café, niemand op het terras, niemand op het parkeerterrein. Een waaier van grind stoof op. Chris hief zijn voet, die zowel de rem- als de gaspedaal raakte, en duwde opnieuw de rem in. In een stofwolk schokte de auto de parkeerplaats op.

Hij keek naar zijn handen. Rond de afgekloven nagels zaten donkerrode vlekjes. Sinds kort beet hij op het vel van zijn vingertoppen, tot bloedens toe. Zelfs nu voelde hij de neiging zijn duim naar zijn mond te brengen en op de losse velletjes te kauwen. Hij had zijn handen altijd goed verzorgd, ze waren zijn belangrijkste instrumenten. Patiënten vonden verzorgde handen en een nette praktijk minstens zo belangrijk als een medicijnenrecept. Maar verzorgde handen had hij niet meer nodig.

Pas deze namiddag had hij de lichte vorm van zelfverminking opgemerkt, toen hij alles klaarmaakte. Hij haalde zijn handen van het stuur en voelde aan het heuptasje. Hij bedwong de neiging om te controleren of er niets ontbrak.

De hele week spoorde een knagend schuldgevoel hem aan om voor alle zekerheid nog eens het internet af te surfen, tegen beter weten in op zoek naar een alternatief. Maar de oplossing waarvoor hij had gekozen, bleef als enige mogelijkheid over.

Daarom ging hij gisteren tussen twee huisbezoeken door in een sportspeciaalzaak op zoek naar schoenen die hem houvast konden bieden op de paden in het bos. Hij had de aankoop, de laatste stap, zo lang mogelijk uitgesteld. Nu wilde hij zich er zo snel mogelijk van afmaken.

Chris ergerde zich aan de ruime keuze. Blijkbaar bestond er voor elk type wandeling een ander type schoen. Hij bleef staan onder het bord 'middelmatig zware wandelingen'. Het ontwerp of de prijs interesseerde hem niet. Hij nam een exemplaar uit het rek (waterproof, Vibramprofielzool en wat voor onzin nog meer), trok hem aan, hobbelde vijf passen heen en vijf passen terug, vond het wel oké, zocht het andere exemplaar, deed zijn gewone schoen weer aan en wandelde naar de kassa.

Daar probeerde hij zijn gedachten af te leiden van wat hij aan het doen was. Hij concentreerde zich op de eeltige hielen van de vrouw voor hem. Haar lichaam was te zwaar voor de enkels, die geen steun hadden aan de afgetrapte sandalen en naar binnen bogen. Daar zouden nog problemen van komen. Hij bestudeerde de wondjes aan haar voeten en de moeizame manier waarop de vrouw voortbewoog. Ongetwijfeld had ze op zijn minst een verstoorde glucosetolerantie.

Waarschijnlijk voelde ze vaak tintelingen in haar handen en voeten, of was haar gevoel erin verminderd. Door een verslechterd zicht kon ze de wondjes aan haar voeten niet goed zien, waardoor ze onbehandeld bleven. Bij deze vrouw kon de diabetes misschien nog teruggedrongen of voorkomen worden. Een gezonde levensstijl vormde een belangrijk onderdeel van de therapie, maar weinig mensen konden dat opbrengen. Een aantal van zijn patiënten voelde zich te oud om nog wat aan hun levensstijl te doen en stierf uiteindelijk te vroeg.

Zijn oog viel op het voorwerp dat de vrouw aan de caissière overhandigde. Een basketbal. Hij verbeeldde zich hoe ze de bal aan een kleinkind gaf. Het beeld vergleed naar zijn eigen ouders: zijn vader die met Sam voetbalde of zijn moeder die hem een verhaal voorlas. Zulke herinneringen waren zeldzaam. Chris' ouders, allebei gepensioneerde chirurgen, spendeerden hun pensioen het liefst aan cruises en het buitenverblijf aan de kust van Portugal. Ja hoor, ze stuurden een kaartje op Sams verjaardag, met Sinterklaas stond er gegarandeerd een groot geschenk op de stoep en met Kerstmis een nog groter, maar toch waren zijn ouders gaandeweg vreemden geworden voor hun kleinkind. Misschien was het maar beter zo. Hij was zelf hun liefde kwijtgeraakt toen hij elf was – als die liefde er al ooit geweest was – en hun aanwezigheid maakte het hem alleen maar moeilijk.

Het volgende beeld was erger: Charlottes ouders aan de voordeur van hun kleine villa, zwaaiend als hij de auto voor de deur parkeerde. Chris, van achter het stuur, zwaaide terug, al wist hij dat Eddy en Martine enkel oog hadden voor het kind dat op hen toe gerend kwam, en voor Charlotte, die hen innig omhelsde nadat ze de koffer voor de logeerpartij had overhandigd. Bij het afscheid huilde de jongen niet, er wachtte hem een week van verwennerij. Elke dag een ander pretpark, of de zee, of de zwemvijver. Eten wat hij wilde, en tussendoor hopen snoep.

Hij sloot zijn ogen. Hij haatte het hoe onvermijdelijk zaken waaraan je niet wilde denken toch altijd je gedachten binnenslopen.

'Meneer?' vroeg de caissière.

Hij opende zijn ogen.

'Mijn excuses', zei hij en hij legde de schoenen op de toonbank. Nadat hij afgerekend had, zei hij overdreven vriendelijk gedag, alsof hij zichzelf ervan wilde overtuigen dat hij toch een goed mens was.

Chris zette de versnelling in neutraal en draaide de contactsleutel om. Met een zacht getik kwam de motor tot rust. Chris proefde bloed. Langs de nagel van zijn duim gleed een druppel uit een wondje. Hij kauwde op het smaakloze velletje en slikte.

De bloeddruppel aan de duim was in de kom van de nagel opgedroogd. Op de wond zat een nieuwe druppel, die langzaam stolde. Hij had het stollingsproces van bloed altijd fascinerend gevonden. Eerst vernauwde het bloedvat, waarna de bloedplaatjes zich vasthechtten aan de collageenvezels van de vaatwand. Vervolgens startte een ingewikkeld proces waarbij tientallen factoren de stolling veroorzaakten. Fibrinedraden vingen bloedplaatjes, zoals vliegen verstrikt raakten in een spinnenweb. Dan kromp het web, de randen werden naar elkaar toe getrokken, en de vaatwand kon verder herstellen.

Naast hem werd gezucht. Chris keek van de duim naar de jongen. De ogen, die donkerzwarte kolen, had hij van zijn moeder, net als de kleine mond met de dunne lippen. Maar de neus en de kaak maakten van hem ontegensprekelijk een Walschap. De gelijkenis, die hem nu nog scherper voorkwam, kwetste hem. Ook het stugge, blonde haar had hij van zijn vader geërfd. De haarlijn zou wellicht voor zijn dertigste al gaan wijken. Charlottes vader was op zijn vijfentwintigste kaal, en dat genetische kwaaltje had hij bijna zeker via zijn dochter doorgegeven aan zijn kleinzoon.

'Ben je er klaar voor?' vroeg Chris.

Zijn zoon knikte.

'Heb je alles bij je?'

De jongen dook een map op van tussen zijn voeten en hield hem omhoog. HERBARIUM had hij erop geschreven.

'Laat je rugzak maar in de auto. En je smartphone ook, dan verlies je hem niet.'

'Da's niet nodig, hij staat op stil, dat moest van de juf.'

'Je laat 'm hier.'

Sam stopte zijn telefoon in het voorzakje van de rugzak.

'Oké, laten we beginnen.'

Ze stapten uit.

13

Zijn ogen zochten het tafeltje waaraan hij de week ervoor het abdijbier had gedronken. Hij dacht erin een geruststelling te vinden, een houvast omdat hij daar de beslissing had genomen, maar het terras was leeg. Het tafeltje stond met de andere tafels en stoelen tegen een muur van het café gestapeld, beschut onder een afdakje, en aan elkaar vastgemaakt met een zware ketting. Achter de ramen waren de dikke, rode gordijnen gesloten. Langs de regenpijp krulde klimop naar het dak, dat zeker voor de helft bedekt was met mos. Achter een raam in het dak hingen witte stofnetten. Vroeger moet het een boerderijtje geweest zijn, dacht Chris.

De jongen had geen oog voor het café. Hij stoof over het parkeerterrein, sprong over de greppel en verdween in het maïsveld.

Er klonk een deun uit Chris' binnenzak. Vloekend griste hij de telefoon uit zijn jaszak. Was dat Suzanne weer?

Net voordat hij de telefoon wilde uitschakelen, zag hij dat het niet Suzanne was die belde.
Een privénummer.
Charlotte?
Hij kon niet anders dan opnemen.

'Is Sam bij jou?'
Er bewoog iets in het maïsveld.
'Dag, Charlotte.'
'Is Sam bij je?'
'Waarom wil je dat weten?'
'Hij kwam niet naar huis. Hij moet naar blokfluitles.'
'Ah, volgt hij blokfluitles?'
'Dat zijn jouw zaken niet.'
'Sam komt zijn afspraken nooit na, wie weet waar hij uithangt.'
'Je bent gezien. Bij de schoolpoort. Met hem.'
'Laat je me nu ook al schaduwen?'
'Moet je horen wie het zegt. Wie achtervolgt mensen uit wier buurt hij moet blijven?'
Chris klemde zijn kaken op elkaar.
'Ik denk dat ik dit gesprek maar ga afsluiten, Charlotte.'
'Je brengt hem naar huis, hoor je me!'
'Begin nu niet te schreeuwen.'
'Je brengt hem onmiddellijk naar huis en dan verdwijn je voorgoed uit ons leven.'
Hij hoorde haar ademhalen.
'Zoals de rechter je bevolen heeft!'
Hij voelde een woede opkomen.
'Naar de hel met die rechter! Wat heeft het je gekost om hem te laten verklaren dat het aan mij lag? Dat Sam

een lieverdje is en dat ik 'm nooit gemogen heb?'

'Sam is geen lieverdje. Hij heeft een antisociale gedragsstoornis, en daarvoor volgt hij therapie. Dat had hij al veel eerder moeten doen, trouwens! De blokfluitles is er een onderdeel van.'

'Wat gaat hij daar leren? Hoe je zo'n fluit door iemands strot heen duwt?'

'Je moet ons met rust laten. Je moet uit onze buurt blijven!'

'Ik ben niet het gevaar.'

Hij hoorde hoe haar ademhaling versnelde, hoe ze enkele keren moest inademen om te kunnen antwoorden.

'Het gaat ... het gaat allemaal veel beter nu we met zijn tweetjes zijn.'

'Dat kan ik goed geloven. Hij heeft je volledig in zijn macht. Je bent gewoon blind voor ...'

'Hij gaat naar school! Hij volgt therapie! Hij komt thuis en eet zijn bord leeg! Dat is wat hij doet!'

Chris sprak zijn woorden niet meer uit, hij blafte ze: 'En Emely?'

'Emely maakt het prima. Behalve dat ze het beu is dat haar gekke buurman zich bemoeit met wie ze omgaat. Jij maakt haar bang, niet Sam. Jij maakt iedereen bang!'

Chris zweeg.

'Je moet je laten verzorgen. Het doet me pijn telkens als ik voorbij het huis en de praktijk kom. De verloedering. Doe je ooit nog een gordijn open? Hoeveel patiënten komen er nog op je spreekuur? De mensen praten over je.'

Ze zuchtte.

'Laat je behandelen. Je moet weer controle krijgen over je gedachten. En ons met rust laten. Breng Sam terug naar huis. Of laat me weten waar je bent, dan kom ik hem halen.'

Hij haalde de telefoon van zijn oor. Hoelang waren ze al aan het bellen? Praatte ze plots zo veel zachtaardiger om hem aan de praat te houden, zodat ze hem kon traceren? Was dit alleen maar een vooropgezet spel om hem ervan te weerhouden te doen wat nodig was? Het kon geen toeval zijn.

'Chris?'

Hij keek naar de telefoon in zijn hand.

'Jij begrijpt er niets van!' schreeuwde hij. 'Jij wilt er niets van begrijpen. Maar er moet een einde aan komen. Ik ga er nu een einde aan maken. Nu!'

Hij gooide de telefoon weg, die uit elkaar spatte tegen een boomstam. Hij draaide zich weer om naar het pad. Sam was uit het veld gekomen en sloeg een maïsstengel tegen het asfalt. Van een kolf spatten tientallen korrels af. De jongen zag zijn vader. De kooltjes brandden.

Chris moest kalm blijven. Charlotte had geen idee waar hij was. Veel tijd had hij niet nodig. Sam mocht niets in de gaten krijgen.

'Waar is je map?' vroeg Chris.

'O.'

Sam rende terug het veld in. De maïskolf deed Chris aan de dode vogel denken. Het ding rolde een eindje weg toen hij er met zijn voet tegen tikte. Hij schopte hem de greppel in.

'Hierzo.' Sam duwde de map tegen zijn vaders buik en rende opnieuw weg, naar het bos toe.

'We moeten dat samen ...' probeerde Chris, maar zijn zoon was alweer tien meter verder, druk op zoek naar wie weet wat.

Na een tijdje opent hij Sams map. *Verzamel het blad en de vrucht van de tamme kastanje.* Er is ruimte gelaten voor de Latijnse naam, het type bladrand en de nerven. Even twijfelt hij: de map sluiten, het theater met het herbarium laten voor wat het is en zo snel mogelijk naar de plaats gaan om te doen wat hij moet doen. Maar de drang om te treuzelen is groter. Verwacht hij dat er met zijn zoon een wonder gebeurt? Dat de jongen plots zal genezen?

Hij schudt het hoofd. Sam is een gevecht begonnen met de braamstruiken. Fanatiek hakt hij erop in met een grote tak die hij van zijtakjes en bladeren heeft ontdaan.

'Sam!'

De jongen draait zich naar hem toe, de mond een beetje open, het haar plakt op zijn voorhoofd. Chris geeft met een knikje aan dat hij moet komen. Dat doet hij als een koning, de rug recht, de staf tikkend op het pad. Chris haalt een plastic tasje uit zijn jaszak en schudt het uit.

'Zoek jij een kastanje? Doe er ook een bolster bij. Dan steek ik ondertussen een blad in de map.'

'Oké', zegt de jongen. De eerste kastanje die hij vindt, slaat hij als een golfballetje weg met zijn staf. De tweede, derde en vierde ondergaan hetzelfde lot. De vijfde zit nog in de bolster, die raapt hij voorzichtig op en laat hij in het zakje glijden. Dan gaat hij verder met kastanjes wegslaan.

TAMME KASTANJE *CASTANEA SATIVA*, vermeldt een groen bordje op een houten paal. Chris zoekt een potlood in zijn jaszak en krabbelt onhandig de Latijnse naam op het stippellijntje. Normaal gesproken zal Sam later de naam kopiëren in balpen. Hij slaat snel de pagina om.

Verzamel het blad en de vrucht van de zomereik. Hij zucht. Hij bedwingt het stemmetje in zijn hoofd dat fluistert dat hij hier niet is om naar een boom te zoeken. Waarom talmt hij zo?

Geblaf veegt die vraag weg. Vlak bij Sam houdt een vrouw een hond in bedwang. Het beest heeft het postuur van een pony. Waar komen zij zo plots vandaan? Waarom hóór je in dit verrekte bos nooit of er iemand in de buurt is? Sam houdt de staf omhoog, klaar om de hond te slaan zodra die zou aanvallen.

'Af, Kay, af!' gilt de vrouw.

'Sam!' roept Chris terwijl hij dichterbij komt.

De vrouw probeert het grommende monster bij Sam weg te trekken. Chris versnelt.

'Sam, doe die stok weg.'

De vrouw merkt hem op.

'Af, Kay, af!' zegt ze nog eens, harder aan de riem trekkend.

Chris neemt zijn zoon bij de arm, waarin alle spieren gespannen staan.

'Kijk de hond niet in zijn ogen.'

Kay gromt weer. De vrouw krijgt er een beetje beweging in, alsof de komst van Chris een verandering in de machtsverhouding teweeg heeft gebracht en de hond zijn kansen opnieuw inschat. Kay buigt zijn kop en zet aarzelend twee passen naar achteren.

Dan gebeurt het.

Sam haalt ineens uit met de stok om de hond aan te vallen nu die zich terugtrekt. Chris brengt zijn lichaam naar voren. Hij weert de kracht af waarmee de jongen tegen hem op beukt. Hij ruikt het verse zweet en voelt hoe de hond terugdeinst en zijn baas opzoekt.

'Stil, Sam,' sist Chris, 'het is voorbij.'

De jongen stribbelt tegen, wil door hem heen gaan, maar geeft dan op. Hij ademt zwaar, hij gromt, een rechtstreekse communicatie met het beest. Chris draait zich naar de vrouw. De hond staat aan haar voeten, en ze heeft nog altijd moeite hem in toom te houden.

'Meneer,' zegt ze en ze moet slikken, want haar mond is droog, 'uw zoon gooide kastanjes naar mijn hond.'

De woede gloeit op haar wangen, en in de gesprongen adertjes rond haar neus en op haar wangen herkent hij couperose. Doorgaans worden mensen met die aandoening verdacht van alcoholmisbruik, al heeft alcohol er vaak niets mee te maken. Zij keurt hem ook. Haar blik blijft hangen bij het heuptasje, dat hij in een reflex vastgrijpt. Hij ergert zich aan deze vrouw.

'Hij zal het niet zo bedoeld hebben', antwoordt Chris. 'U weet hoe kinderen zijn.'

Ze lacht schamper.

'Uw zoon ...'

'Ik hoop dat u niet te erg geschrokken bent, mevrouw.'

De vrouw wrijft een lok uit haar ogen, die meteen terugvalt. De hond verlegt zijn aandacht naar een geluid in het struikgewas, maar de vrouw blijft Chris kwaad aankijken.

'Ik zal mijn zoon erop aanspreken wat voorzichtiger te zijn.'

De vrouw knikt, draait zich om, en met een kort 'kom, Kay' wandelt ze verder. De twee verdwijnen in een bocht. Een schrikbeeld overvalt Chris: straks wandelen ze voorbij de parkeerplaats en noteert de vrouw zijn kenteken.

Alleen op een leeg parkeerterrein, niet eens goed tussen de lijnen, is de auto als een walvis in de woestijn. Als de politie op aansporen van Charlotte naar hen op zoek gaat, zal de vrouw zich hen herinneren.

Chris kijkt naar de map en denkt aan een zomereik. Hij legt zijn hand op het heuptasje en denkt aan straks. Hij mag zich niet meer laten afleiden, hij moet recht op zijn doel afgaan. Het is nu of nooit.

Hij draait zich om. De jongen is verdwenen.

14

Terwijl Charlotte in de kast rommelt, kijkt Tess door het woonkamerraam. Je weet maar nooit of Walschap bluft of berouw krijgt en plots met de jongen voor de deur staat. Al raakt ze er steeds meer van overtuigd dat het ijdele hoop is.

Ze neemt haar telefoon en leest nog eens het bericht van Frank.

Huis verlaten computers mee mast tel sam bereikt 3/4 stad + deel plat.land

Walschaps computers, daar zit nog een kans. Het is moeilijk te voorspellen hoe snel ze die kunnen kraken. Dat het iets bruikbaars oplevert is bijna zeker. Mensen laten nergens zo veel sporen na als op de harde schijven van hun computers. Ze hoopt vurig dat ze snel een telefoontje krijgt.

Stond Walschap buiten toen Charlotte hem belde?

Goed mogelijk. Maar hoe helpt dat haar verder? Hij kon in zijn tuin staan, aan de rivierboorden, aan zee. Ze bijt op haar onderlip en kijkt zo ver mogelijk de straat in, haar voorhoofd tegen het glas. Geen zwarte Citroën C5 te zien. Niet in deze straat, nergens in de stad. Geen enkele patrouille heeft iets laten weten. Ook geen nieuws van de twee ploegen die de rivierboorden afzoeken. Want, zo had de ervaring hun geleerd, daar hadden ze de meeste kans om een gedumpt lijk te vinden. Op moordenaars oefent water een onweerstaanbare aantrekkingskracht uit. Maar voorlopig niet op Walschap. Waar ís hij?

'Ik heb 'm', zegt Charlotte. Ze haalt een schoenendoos uit de kast. Aan de tafel tilt ze het deksel er af. Tess gaat naast haar staan. 'Zo heb ik er nog een paar in mijn slaapkamer,' zegt Charlotte.

'Mag ik?'

Charlotte doet een stap opzij. In de doos zitten documenten en een stapeltje foto's. De eerste foto toont de vader en de zoon samen. Op Walschaps gezicht ligt een bevroren glimlach, alsof de fotograaf te lang gewacht heeft om de foto te maken en hij zijn gezicht niet langer kon forceren. Het resultaat is meer een uiting van afkeer dan van plezier. Dat er spanning in de lucht hangt, is ook te zien aan de jongen. Hij kijkt langs de camera heen, met afgezakte schouders en een starende blik, het kan hem allemaal weinig schelen.

'Sams verjaardagsfeestje, twee jaar geleden. De laatste keer samen', zegt Charlotte.

Nu pas ziet Tess de vlaggetjes aan het plafond. De onverschilligheid van Sam lijkt de typische verveling van een kind dat helemaal geen verjaardagsfeestje wil, en zeker niet met zijn ouders erbij, en dat graag laat zien op de foto's die mama maakt. Toch probeert Tess in de afbeelding van de jongen iets te vinden, iets wat de theorie van Walschap aannemelijk maakt. Maar ze ziet enkel een jongen. Stuurs, moeilijk misschien. Maar een gewone jongen.

'Deze neem ik mee', zegt Tess en ze steekt de foto in de achterzak van haar spijkerbroek. Ze graait in de schoendoos, pakt een blad eruit en vouwt het open. Het is een kopie van een krantenartikel.

VERDACHTE MOORDZAAK EERDER VEROORDEELD, is de titel. In de tekst zijn enkele woorden met een gele stift gemarkeerd. 'Vervroegd vrijgelaten', 'gerechtspsychiater verklaarde verdachte ongevaarlijk' en 'gekend bij het gerecht voor gewelddaden'. Met pen is er een datum op het blad geschreven.

Ze legt het terug en haalt er een tweede uit.

MOEDER MASSAMOORDENAAR BANG VAN ZOON ALS KIND.

Achter de titel plaatste iemand uitroeptekens. In dit artikel is een passage gemarkeerd over maatschappelijk werkers die de moeder aanraadden het kind te laten opnemen, wat geen resultaat gaf. Ook een aantal woorden die het kind beschrijven, zijn aangestreept. In de kantlijn staat HERKEN JE IEMAND, gevolgd door een lange rij vraag- en uitroeptekens. Het handschrift is anders dan van de persoon die ook hierop een datum noteerde.

'Dit heb je van Chris', zegt Tess en ze kijkt Charlotte indringend aan. Ze knikt.

Tess maakt de doos leeg: foto's van het verjaardagsfeest, allerlei krantenartikelen en fragmenten uit psychologische vakbladen. De krantenartikelen handelen over moordenaars en verkrachters, de vakbladuittreksels beschrijven onderzoeken naar de behandeling van psychopathie. Uit het witte vlak lichten gele markeringen op, stukken tekst die Chris' theorie staven. Soms schreef hij er in de marge een opmerking bij. BEGRIJP JE HET NU, HERKEN JE IEMAND, OPEN YOUR EYES, dat soort dingen, allemaal gevolgd door een reeks vraag- en uitroeptekens.

'En hiervan heb je er meer?' vraagt Tess, wijzend naar de schoenendoos.

'Een plank in mijn kleerkast vol.'

'Hieraan had hij een dagtaak', fluistert Tess.

'Begrijp je nu hoe ver het gaat?' vraagt Charlotte. 'Zie je waartoe hij in staat is?'

'Dit is gekkenwerk', zucht Tess.

'Ik wilde met Sam naar een psychiater, omdat ik ook wel begreep dat er iets scheelde. Maar Chris vond dat hij het allemaal beter wist.'

Ze slikt en kijkt naar de tafel.

'Na het verjaardagsfeestje werd het echt heel erg. Toen begon hij mij die artikelen te geven.'

Ze zucht terwijl ze aan de hoek van een blad pulkt.

'Ken je het Antisocial Process Screening Device?' vraagt ze.

'Nee', zegt Tess.

'Het moet hier ergens tussen liggen.'

Ze rommelt nerveus in de papieren, maar geeft het dan op.

'Het is een test waarmee je psychopathie bij kinderen meet. Ouders of leerkrachten geven een score op een lijst van twintig stellingen. In amper tien minuten weet je of je kind een psychopaat wordt.'

Ze laat een cynisch lachje horen.

'Chris deed de test – hij deed 'm waarschijnlijk honderd keer – en kwam tot het hoogste resultaat, telkens opnieuw. Hij liet het mij ook doen, en werd woest als ik niet tot dezelfde score kwam.'

Haar oog valt op een blad en ze houdt het omhoog.

'De Psychopathy Checklist van Hare, nog zo'n mooie. Daarvan is er eentje voor kinderen en eentje voor volwassenen. Ooit op jezelf uitgeprobeerd? Chris deed niets anders. Zijn vader, zijn broer, hijzelf, Sam, allemaal passeerden ze de revue. Bijna de hele tijd zat hij achter zijn computer dingen op te zoeken of hij knipte artikelen uit de krant.'

Ze haalt een hand door haar haar.

'Chris moet zijn eerste map aangelegd hebben toen hij dertien was', zegt Tess.

'Daarvan wist ik niets.'

'Enig idee waarom?'

Charlotte kijkt naar het raam, waaronder net een bus passeert.

'Ik wist niet dat hij die mappen aanlegde.'

'Dat heb je nooit gemerkt?'

'Hij begon me pas artikelen te laten zien na Sams verjaardagsfeestje. Die mappen moet hij in zijn praktijk bewaard hebben, daar zaten enkele kasten altijd op slot. Beroepsgeheim, weet je wel. Ik stelde me er geen vragen bij.'

'Wat is er gebeurd toen hij dertien was?'

Charlotte kauwt op haar onderlip terwijl ze de papieren op de tafel scant.

'Geen idee. Chris vertelde weinig over zijn jeugd.'

'Hebben zijn ouders ooit iets laten vallen?'

‘Zijn relatie met zijn ouders is moeilijk, ze hebben nauwelijks contact. Het zijn geen grote praters, emoties worden er doodgezwegen. Chris had het daar moeilijk mee. Hij zei vaak dat hij pas echte menselijke warmte leerde kennen toen hij een relatie met mij kreeg.’

Charlotte pakt een paar bladen op, haalt er een tussenuit en zegt: ‘Chris had het weleens over het genetische aspect van psychopathie. Daar heeft hij ook enkele studies van. Zoiets als dit.’

Tess bekijkt het blad vluchtig.

‘Je bedoelt dat Sam de psychopathie van Chris erfde?’

Charlotte zwijgt en denkt even na.

‘Heeft Chris dan zelf ooit iemand iets aangedaan?’ vraagt Tess.

Ze voelt hoe het haar op haar armen overeind gaat staan.

‘Daar heeft hij me in ieder geval nooit iets over verteld. Ik dacht dat Chris doelde op zijn vader, op Sams grootvader. Hij heeft geen goed woord voor hem over.’

Tess legt het blad terug op tafel en zet haar handen in haar zij.

‘Er is iets gebeurd in Chris’ jeugd’, zegt ze.

Charlotte knikt. ‘En hij heeft het altijd voor mij verzwegen.’

15

Chris was doodsbang toen Nanny de draad van het verhaal verloor. Hij zat aan de ene kant van het bed naast haar, Gert aan de andere kant, allebei in de zachte kussens gedrukt en onder een bloemetjesdeken, met tussen hen in het warme lichaam van Nanny.

Terwijl hij haar pillen had gezocht, had Chris niet om zich heen durven kijken, en toen hij daarstraks binnenkwam, was zijn oog meteen gevallen op het nachtkastje en de lade die hij met bevende handen had geopend. Hij keek van de lade naar Nanny en terug, en deed dat naar zijn gevoel te snel. Verdacht. Maar Nanny lachte alleen maar terwijl ze het dienblad van hem overnam. Hij bloosde om zijn domme angst en de onhandige manier waarop hij bijna prijsgaf wat hij gedaan had. Nanny dacht waarschijnlijk dat hij bloosde uit verlegenheid, omdat ze zo blij was met zijn presentje en complimentjes hem altijd deden blozen. Nadat ze het dienblad op het nachtkastje had gezet, gaf ze hem een knuffel. De angst, die hem later die nacht volledig zou verlammen, was verdwenen.

Nadat ze samen op bed waren gaan liggen, had ze Gert een verhaal laten kiezen uit het grote boek met de ouderwetse tekeningen. Ze bracht hen aan het lachen door de stemmen van de personages na te bootsen. Een hoog, grappig gekakel voor de kip, een diepe brom voor de beer. Af en toe dronk ze van de cocktail, die Chris haar telkens aanreikte, en dan zei ze dat het erg lekker was. Dat deed Chris glimmen van trots. Het verhaal kende hij van buiten, dus gaf hij vooral zijn ogen de kost.

Aan de muur hingen twee ingekaderde jachttaferelen. De kleuren van de fijne pentekeningen waren door de jaren heen vervaagd tot rode en bruine tinten, die ze in een mysterieuze sfeer deden baden, alsof de taferelen zich in de vooravond afspeelden, of de vroege ochtend. Op de tekeningen namen mannen met grappige hoedjes, omringd door honden en paarden, afscheid van hun vrouwen. Zij stonden boven aan de marmeren trap van een statig landhuis en keken bezorgd, alsof ze bang waren dat ze die avond geen eten zouden hebben, of dat een van hun mannen werd aangezien voor een hert en door zijn vrienden zou worden neergeschoten. Chris prentte de tafereeltjes in zijn geheugen, dan konden hij en Gert de volgende keer in het bos spelen dat ze op jacht waren met paarden en honden.

Het was jammer, dacht Chris vervolgens, dat hij niet vaker bij Nanny op haar kamer mocht komen, want het was hier veel gezelliger dan beneden in de salon, waar hij vooral van dingen af moest blijven omdat ze te duur waren om gebroken te worden. Gert lachte om een grapje dat Nanny maakte en zij vroeg nog eens om haar Aliesje. Chris reikte naar het nachtkastje en gaf haar het glas.

'Je maakt 'm lekkerder dan ik, Chris', zei Nanny toen ze het glas teruggaf.

'Dank u, Nanny', zei hij. Zijn plan werkte, Nanny was duidelijk kalm geworden, en hij begon zich af te vragen waar dit eindigde. Ze sprak zijn naam al uit als 'Chjis'. De angst, nog klein en beheersbaar, kwam weer op, als een warmte in zijn nek. Hij wreef het zweet daar weg, misschien lag het gewoon aan het hoofdkussen.

'Ik denk dat ik moe word, jongens', zei Nanny, nadat ze nog wat gelezen had en het spoor bijster was geraakt. 'Ik zie het allemaal niet zo goed meer.'

Haar gezicht was rood en ze sprak erg traag. Chris' hart daarentegen ging als een razende tekeer. Het glas was zo goed als leeg, er zat amper nog een bodempje in.

'Ikdenkdawebeterkunnegaslapejonges.' Ze probeerde rechtop te gaan zitten. Chris stond op van het bed en hielp haar. Ook Gert stond op. Hij nam het boek van Nanny over en legde het terug op de plank.

'Kunnen we u nog ergens mee helpen, Nanny?' vroeg Gert.

'Dasheelievajullie', zei Nanny. 'Ma'kganu ... evenaar-toilet.'

Ze kwam uit bed, zette twee stappen en begon te wankelen. Chris probeerde haar recht te houden. Hij greep naar haar middel, voelde door de pyjama haar borsten en het vet van haar buik en liet meteen los, als geraakt door een kogel. Het bloed steeg naar zijn hoofd en hij hoopte dat Nanny morgen vergeten was dat hij haar op zo'n onfatsoenlijke manier aangeraakt had.

Nanny viel neer op de plankenvloer. Er klonk gelach uit de tuin, alsof hun ouders en hun vrienden via verborgen camera's getuige waren van het tafereel.

Nanny kreunde en ging op handen en knieën zitten.

'O jee', zei Gert.

Chris keek naar de tekeningen aan de muur en vroeg zich af hoe de mannen met de honden deze situatie zouden oplossen.

Nanny kroop naar een deur en probeerde hem open te maken. Gert schoot haar te hulp. Toen Gert het licht aanknipte, zag Chris een stuk van een spiegel en een wastafel. De badkamer had blauwe tegeltjes tot halverwege de muur, die daarboven wit was geschilderd. Gert kwam terug de kamer in.

'Moeten we papa gaan halen?'

Alles, maar niet dat. Niet na de blunder in het bos en het huisarrest. Chris moest dit zelf oplossen. Toen hoorde hij een afschuwelijk geluid uit de badkamer komen.

Gert sloop naar de deur, Chris achter hem aan.

'Jij moet kijken,' siste Gert, 'jij bent de oudste!'

Chris slikte en schuifelde naar de deuropening. In de badkamer hing de sterke geur van Nanny's parfum, met daardoorheen een lichte zurigheid. Nanny zat op het toilet, haar pyjama zat onder een gelige drab.

'Ooo', kreunde Nanny.

'Ze heeft overgegeven', zei Chris, achteromkijkend naar Gert. Die duwde hem een beetje opzij en keek ook naar Nanny.

'Als papa dat ziet, wordt hij razend!', en dan, tegen zijn broer: 'Wat nu?'

Chris wist het niet meer, de verbinding tussen zijn hersens en zijn lichaam leek doorgeknipt. Hij keek naar zijn jonge broertje in de hoop dat hij met een oplossing zou komen.

'We moeten haar weer normaal krijgen', zei Gert.

Chris liep naar de wastafel, nam de tandenborstel uit het glas en vulde het met water.

'Drink eens, Nanny.'

Ze hief haar hoofd; ook langs haar lippen en op haar kin zat kots. Chris zette het glas aan haar lippen, maar ze dronk niet. Het water druppelde uit haar mond. Ze hoestte een paar keer.

Chris keek naar Gert, die met zijn hoofd schudde en zijn schouders ophaalde.

'Doe een beetje water op haar gezicht, dat helpt misschien.'

Chris doopte zijn vingers in het glas en sprenkelde druppels over Nanny's gezicht. Geen reactie.

'Meer water', zei Gert. 'Het hele glas.'

Chris aarzelde. Gert duwde hem opzij en pakte het glas af.

'Zo.' Nanny hief verbaasd haar hoofd op toen ze het water voelde. Het droop van haar af, op haar vuile pyjama, en Chris hoorde het gedruppel op het linoleum. Ze proestte even en liet daarna het hoofd weer zakken.

'Zag je dat? Het werkt. We hebben meer nodig', zei Gert, die al een tweede glas vulde.

'We kunnen toch niet de hele tijd glazen water over haar heen gieten?' Chris boog zich over Nanny. Ze wiegde heen en weer en murmelde onverstaanbare dingen, alsof ze praatte in haar slaap. Chris vreesde dat ze van het toilet zou vallen. Hij was bang, zijn hele lijf bevroren in de angst dat alles verloren ging. Die dag had hij mama en papa teleurgesteld, het vertrouwen van Nanny beschaamd, en nu had hij haar gedrogeerd. Wat als ze doodging?

'Hebben we een emmer?'

Chris schudde zijn hoofd.

'Zullen we haar onder de douche zetten?' vroeg hij.

Gert fronste zijn wenkbrauwen. Toen klaarde zijn gezicht op.

'Ik heb een beter idee!' zei Gert.

Hij gaf Chris een klap tegen zijn schouder.

'Wat?' vroeg Chris.

'Het zwembad! In het zwembad wordt Nanny wel wakker. Zeker weten!'

Het idee was belachelijk. Hij zag meteen de gevaren.

Maar er was ook dat andere gevoel. Toen zijn broer het absurde idee opperde nam opwinding zijn lichaam over. Met zijn 'flinke' en 'brave' gedrag had hij een ramp veroorzaakt, en nu Gert met zo'n buitensporige oplossing kwam, moest hij misschien zijn verstand maar eens laten varen en zijn gevoel volgen.

Het zwembad kón een oplossing zijn. Hij had zelf gezien hoe Nanny reageerde op het glas water. Een heel zwembad vol zou haar zeker bij haar positieven brengen. En ja, ze zou razend zijn, maar hij had nog altijd liever een razende Nanny dan een razende mama en papa. Hij moest zich overgeven aan dat tintelende gevoel en stoppen met nadenken. Zo deed Gert het en hoeveel last had Gert al gekregen? Schouderklopjes en applaus, en altijd de lachers op zijn hand.

Een warmte verspreidde zich van zijn nek naar zijn buik en concentreerde zich in zijn piemel, die stijf werd.

'Goed,' zei hij terwijl hij Nanny onder een arm greep, 'het zwembad.'

‘We mogen het licht niet aandoen’, zei Gert toen ze de deur naar het zwembad openden. Het had hun moeite gekost om Nanny van de trap af te krijgen, en hun hart stond stil toen ze de keuken passeerden en papa net bier kwam halen. Hij zag hen niet, zelfs het zachte mompelen van Nanny deed hem niet opkijken. Zij liet zich gewillig leiden, en Chris vroeg zich af of ze enig idee had van wat er gebeurde.

Gert duwde de deur open en de geur van chloor prikkelde Chris’ neus. Hij verbeet de gedachte aan het verbod dat papa hen ingepeperd had: nooit ’s nachts het zwembad binnengaan. Tot overmaat van ramp vroeg Gert of ze Nanny’s pyjama moesten uittrekken.

‘Nee’, snauwde Chris, die ongewild terugdacht aan de zachtheid van haar borsten en buik. Ze gingen aan de rand van het zwembad staan. Het licht uit de tuin lag in grote trapeziums op het water, een gladde spiegel zonder rimpeling.

‘Niet kwaad zijn, Nanny’, fluisterde Chris. Was het toen al de angst die hem verdoofde, of opnieuw de opwinding? ‘Dit wordt even schrikken.’

Hij knikte naar Gert, ze gaven haar allebei een duwtje en met een gigantische plons ging Nanny het water in.

16

'Sam!'

Hij vloekt binnensmonds.

'Sam!'

Waar is hij? Tijdens die krappe minuut waarin Chris de vrouw nakeek, kon zijn zoon toch niet ver weg geraakt zijn? Meteen corrigeert hij die gedachte. Hij speurt tussen de bomen. Niks te zien.

De herbariummap kreukt. Hij ontspant zijn hand terwijl hij besluit het pad gewoon verder te volgen. Waarschijnlijk staat Sam ergens achter een boom te wachten, of heeft hij een dier gespot waar hij achteraan is gegaan.

In de verte wappert wit plastic tussen het groen. Eerst denkt Chris dat het een stuk zwerfvuil is, maar als hij dichterbij komt, herkent hij er Sams plastic zakje in. Hij pakt het op. De stekels van de bolster prikken erdoorheen.

'Sam?'

Het zakje lag tegen een houten paal, die samen met

een andere paal en een horizontale ijzeren staaf het eerste van vier toestellen vormt, van laag naar hoog achter elkaar opgesteld. Eronder groeien braamstruiken en tegen de palen kruipt onkruid omhoog. Van de ijzeren staven laat de afbladderende groene verf oranjebruine roestvlekken zien.

Er ligt een wit informatiebord op de grond, omgegooid of omgevallen en grotendeels overgroeid met struiken en onkruid, waartussen pissebedden krioelen. In blauwe letters herkent Chris het woord FIT-O-METER. Boven de toestellen hangen dikke boomtakken. Hoelang nog voor deze ingreep van de mens voorgoed verzwolgen wordt door het bos? Aan de voet van een boom ontdekt Chris weer een houten paal met een groen bordje erop.

ZOMEREIK *QUERCUS ROBUR*.

Dan korte, hevige lachjes.

Chris kijkt omhoog.

'Kom eruit, Sam.'

De jongen kijkt naar beneden vanaf een brede tak. Hij haalt een fluim op en spuwt. Chris zet een stap opzij. De fluim raakt het groene bordje en druipt loom naar beneden. Zijn zoon grijnst.

'Komaan, Sam.'

De jongen trekt zich op aan de stam en hijst zich omhoog aan een tak. Van waar Chris staat is de afstand moeilijk in te schatten, maar Sam lijkt met elke beweging een meter te klimmen.

'Ik kan onze auto zien!' gilt hij.

'Dat kun je niet!' roept Chris terug.

Dat doet Sam nog hoger klimmen, hij verdwijnt in de wirwar van takken en bladeren. Chris krijgt pijn in zijn nek.

'Ik zie het café!'

Sam gaat op de toppen van zijn tenen staan, de jonge tak die hem draagt, buigt door. Hij veert mee zonder zijn voeten van de tak los te maken. Hij giechelt erbij, een hoog, hysterisch lachje is het.

'Ik probeer over het café heen te kijken!'

Geelgroene bladeren dwarrelen naar beneden. De bladeren die blijven hangen, maken een onrustwekkend geluid, waardoorheen Chris af en toe een zacht gekraak hoort, alsof de tak stilletjes protesteert tegen Sams gewicht.

Als hij valt, zijn alle problemen voorbij.

Als Chris hem aanspoort nog hoger te klimmen, om echt te proberen de auto te zien, hoeft het gedoe met het heuptasje bij de open plek niet meer. Sam zal het proberen, dat weet hij zeker, net zoals hij zeker weet dat de hoger gelegen takken de jongen niet kunnen dragen. Of niet voor lang.

Dan ziet hij zijn zoon glazig in de verte staren. Enkel een betekenisloze grijns glijdt over zijn gezicht, terwijl Charlotte slijm van het buisje veegt dat de spoedartsen in zijn luchtpijp boorden en waardoor hij ademt, een ademen dat bestaat uit rochelen en hoesten. Hij ruikt het ontsmettingsmiddel, daardoorheen zacht de geur van ontlasting, hij hoort de piepjes en tuutjes van machines die het nutteloze leven rekken.

'Kom naar beneden, Sam.'

De jongen stopt met op de tak te wippen.

'Kom naar beneden', aapt zijn zoon hem na met een hoge piepstem. 'Kom naar beneden, kom naar beneden', terwijl hij in razend tempo uit de boom afdaalt. 'Kom naar beneden, kom naar beneden, kom naar beneden!'

Sam blijft aan de onderste tak van de boom hangen. Zijn haar plakt op zijn voorhoofd, zijn ogen staan woest. Hijgend kijkt hij naar zijn vader.

'Het is nooit leuk met jou, papa.' Hij pauzeert even om adem te halen. 'En dat is waarom mama en ik jou haten.'

17

De jongen loopt meters voor hem uit. Met zijn hoofd tussen de schouders stapt hij van kastanje naar kastanje, die hij met harde, korte mepjes van zijn staf het bos in slingert. Bij elke kastanje gromt hij. Verbeten, als een golfspeler die zijn slag oefent, slaat hij op de vruchten in. Als een bolster tegen een boomstam openspat, stopt hij even. Chris kan zijn gezicht niet zien, maar hij weet dat de jongen glimlacht voor hij naar de volgende kastanje stapt. Weer zwaait de stok naar achteren, maar als hij hem naar beneden brengt, vliegt enkel een kluit aarde de lucht in. Sam staat stil. Na een pauze waarin de woede zijn gezond verstand omsluit, begint hij op de grond te slaan.

Ook Chris blijft staan. Hij kijkt hoe zijn zoon gaten in de grond slaat. Het zal enkele minuten duren voor de woede bekoeld is. Bemoeienis van hem zal de razernij alleen aanwakkeren. Dat geeft hem de tijd om naar het kleine, agressieve lijf te kijken en zich – voor de hoeveelste keer? – verwonderd af te vragen waar al die agressie vandaan komt. Wat gebeurt er onder de wilde haardos dat de hersens voortdurend signalen naar de zenuwen sturen om te vernietigen, te kwetsen, kapot te maken? Chris kijkt naar de jongen, elf jaar, zevenendertig kilo, honderdtweeënveertig centimeter, het wonderbaarlijke netwerk van zenuwen, aders, spieren is perfect in staat om een lang en gelukkig leven te leiden. Een leven uit een sprookjesboek. Maar het is een droombeeld, want het hele mechanisme wordt aangestuurd door hersens waarvan alle bedrading verkeerd zit. Het potentieel dat de jongen in zich draagt, en dat af en toe op schrijnende wijze aan de oppervlakte komt, wordt weggevaagd door knoeiwerk dat niets anders dan kortsluitingen veroorzaakt.

Chris kijkt naar zijn zoon, dezelfde kleur haar, dezelfde hoekige manier van bewegen, dezelfde genen.

Antisociaal gedrag bij kinderen met psychopathische persoonlijkheidskenmerken lijkt grotendeels erfelijk bepaald.

De details van de studie bij zevenjarige tweelingen zijn hem ontgaan, maar zo had het er gestaan, zwart op wit. Grotendeels erfelijk bepaald. Van Charlottes kant kon het niet komen, haar familie was een stookplaats van menselijke warmte. Zíjn familie daarentegen ...

Herkende hij psychopathie bij zijn vader? Hij vertoont enkele typische kenmerken: nauwelijks medeleven, een oppervlakkige charme, en zeker in de beginjaren van zijn carrière een promiscue levenswandel. Tijdens Chris' stage in het ziekenhuis kwamen de geruchten over het libido van zijn vader weer naar boven. Als ooit papa's erfenis wordt verdeeld, moesten ze zich er niet over verbazen als er plots halfbroers en -zussen opdoken. In de ogen van bepaalde artsen en verpleegsters lag de vraag of hij dezelfde weg zou bewandelen. Toen hij een relatie begon met Charlotte leek voor velen die vraag beantwoord.

Gert? Nee. Hij is een kunstenaar, een bohémien, ongetwijfeld op de een of andere manier gestoord, maar een psychopaat? Ondenkbaar.

Chris zelf. Hij herkent zich in zijn vader en in zijn zoon. Het is in een rechte lijn doorgegeven. Als je het wil zien, is het allemaal zo duidelijk. En het wordt elke generatie erger.

18

'Nanny?'

De trapeziums van licht verdwenen in de golfslag zodra Nanny het water raakte. Gert en Chris deinsden achteruit toen ze de spetters op hun gezicht voelden, wachtend tot Nanny naar de kant zou spartelen, waarna ze haar op het droge zouden helpen. Chris zou haar daarbij stevig onder een oksel nemen, zodat hij haar niet weer op die obscene manier zou aanraken.

Door de rimpeling van het water en het licht dat er ongestructureerd op speelde, was het moeilijk te zien wat er precies met Nanny gebeurde. Al vrij snel sloeg de paniek Chris om het hart, er kwam geen geluid. Een wakker geschrokken Nanny zou op zijn minst vloeken als een bouwvakker die van een stelling valt.

Maar buiten het zachte kabbelen van het water was er niets te horen, en al snel zag Chris dat de speling van het licht onderbroken werd door een donkere vlek. De vlek had ongeveer de omvang van Nanny.

Hij riep haar naam nog eens, luider, en keek om naar de ramen. Enkel het schijnsel van een spot gaf aan dat papa en mama nog op het terras zaten. Toen verscheen Gerts gezicht in zijn blikveld. Hij zei iets, Chris zag zijn mond bewegen, maar hij hoorde niets. Hij hoefde helemaal niets te horen, Gerts grote ogen vertelden genoeg. Gert pakte hem bij zijn schouders, maar Chris rukte zich los.

Hij ging dichter bij het water staan, dat alweer grotendeels gekalmeerd was, zodat de donkere vlek nog beter afgetekend stond. Het leek op een eiland, of de rug van een dolfijn.

Het was een rustgevend gezicht, hij zou er uren naar kunnen kijken.

Toen hoorde Chris een woord – *papa* – en hij draaide zich naar de deur, om nog net het donkere silhouet van Gert bij de lichtschakelaar te zien. Nog voor hij nee kon roepen, werd hij verblind door een licht alsof de hele omgeving ontplofte, en samen met het licht kwam zijn gehoor terug. Terwijl hij met zijn ogen knipperde, hoorde hij hoe de schuifdeur naar de tuin werd opengerukt en het gebrul van zijn vader – *wat doen jullie hier?!* – en zijn moeder – *waar is ...?* – gevolgd door gegil.

Toen zijn ogen eindelijk gewend waren aan het licht, waren er mannen in het zwembad gesprongen. Ze draaiden het eiland om – ze draaiden de dolfijn op zijn buik – en mama voerde hem en Gert weg. Chris bleef achteromkijken terwijl de mannen het lichaam op de kant trokken en op de borst begonnen te duwen.

Nanny verdween.

Ze kwam nooit meer terug.

Als Chris naar haar vroeg, zei zijn moeder dat hij zich geen zorgen hoefde te maken, en volgens zijn vader was alles goed geregeld. Vragen over haar gezondheid werden weggewuifd met dat het zijn zaken niet waren. Toen hij vroeg of ze boos was, vroeg zijn vader wat hij daar zelf over dacht. Na een maand wilden ze dat hij er eindelijk over zweeg.

Maar hij kon het niet vergeten. Als hij wilde gaan slapen, zag hij weer het beeld van Nanny op het toilet, de pyjama vol kots, dan haar lichaam in het zwembad en de mannen die op haar borst drukten nadat ze haar uit het water hadden gehaald. Zij raakten haar borst aan zonder gêne, bruut en emotieloos, wat hem nog obscener leek dan zijn lichte aanraking van Nanny's rondingen. Maar met hun daad probeerden ze haar leven te redden, zijn aanraking was anders geweest.

Dat was het ergste van alles: de opwinding. Hij had het heerlijk gevonden om zijn angst opzij te zetten en mee te gaan in de impulsiviteit van zijn broertje. Er was een warmte in zijn lichaam ontstaan die hij voordien alleen maar gevoeld had als hij naar de meisjes van de klas keek tijdens de gymles – en ook een beetje bij de juf van vorig jaar. Terwijl hij het leven van Nanny op het spel zette, had de warmte zijn piemel stijf gemaakt en een vreemde tinteling in zijn buik veroorzaakt.

Zoiets was onaanvaardbaar. Hij wist zeker dat Nanny hem dat nooit zou vergeven. Hij was van een brave, flinke jongen veranderd in een slecht kind. Hij was zo iemand geworden als de mannen die hij af en toe in papa's krant zag. Zij betuigden hun spijt omdat ze iemand de kop hadden ingeslagen, maar hadden op de foto een zweem van heimwee in hun ogen.

Later kreeg hij schrik om naar bed te gaan. Altijd kraakte of piepte er iets op de verdieping boven hem. Hij lag wakker en luisterde naar de geluiden, waarin hij de ene keer Nanny's voetstap, de andere keer het aanklikken van haar nachtlampje, en soms zelfs het piepen van haar bed herkende. Uren later, volledig in paniek en met beddenlakens nat van zijn tranen, gilde hij het huis overhoop omdat hij Nanny van de trap hoorde komen om hem te straffen. Nadat papa en mama hem enkele keren hadden gerustgesteld en uiteindelijk kwaad waren geworden, stuurden ze hem naar een dokter.

Chris had verwacht dat de dokter hem ging onderzoeken, maar hij vroeg hem niet eens zijn hemd uit te trekken. De man droeg geen doktersjas maar een wollen trui en een ribfluwelen broek. Op zijn bureau lag geen stethoscoop, maar heel veel papier, en aan de rand stond een buste van een man met warrig haar en een ringbaard. Chris moest niet op een onderzoekstafel zitten, hij mocht op een gemakkelijke bank gaan liggen.

De dokter zette zich naast hem, zijn snuivende ademhaling stelde hem gerust en ergerde hem tegelijkertijd. Toen vroeg de dokter hem met een zachte stem, een beetje zoals meneer pastoor praatte tijdens de biecht, om te vertellen wat er gebeurd was. Aarzelend begon Chris te vertellen, en om de beelden niet te sterk te laten terugkeren, keek hij rond in de kamer. Er hingen zware gordijnen voor de ramen, en aan de muren schilderijen van bloemenvazen. Er waren kasten vol boeken, en op een ervan stond een jachthoorn. Verder naar boven, verborgen in de schaduw van het schaarse licht, zag hij de hertenkoppen. Geschoten door mannen met gekke hoedjes, bedacht Chris, die tussen hun honden en paarden afscheid hadden genomen van hun vrouwen, staand op een marmeren trap. De tranen sprongen in zijn ogen en terwijl ze over zijn wangen stroomden, wandelde de dokter mompelend naar zijn bureau en schreef een briefje.

Toen Chris' moeder de envelop opende en het briefje las, keek ze even naar hem en vervolgens naar zijn vader, die het briefje van haar overnam, zijn schouders ophaalde en zei: 'Dan moet het maar zo. Dat maakt het voor jou ook een stuk gemakkelijker.'

Vanaf de volgende ochtend lagen er elke dag bij het ontbijt en het avondeten pillen naast zijn bord.

Hij sliep veel beter.

Het leek zelfs alsof hij nooit meer helemaal wakker werd.

Hij leefde twee jaar in een mist. Papa werkte nog harder dan vroeger, hij was weinig thuis, en zijn schaarse vrije tijd besteedde hij het liefst aan squash, golf en etentjes met mama, die vaker thuisbleef om voor hen te zorgen. Zij concentreerde zich op Gerts muziekcarrière, waarschijnlijk om haar eigen afgebroken carrière te compenseren. Op aanraden van zijn pianoleraar schreef ze hem in voor allerlei wedstrijden, die hij vaak met verbluffend gemak won. Chris ging mee naar de concerten, waarbij hij voor zich uit staarde terwijl de muziek over hem heen ging.

In zijn eentje waadde hij door de leegte, en hij dacht niet aan Nanny of het zwembad, hij dacht aan bijna niets meer. Op een dag lag hij opnieuw op de gemakkelijke bank van de dokter in de slobbertrui en de ribfluwelen broek. Aan het interieur was niets veranderd, al vermoedde Chris dat de papieren op het bureau andere waren dan twee jaar geleden. Het haar van de dokter was ook veranderd, dunner en grijzer. Hij had het achterovergekamd, maar hier en daar kwam het springerig omhoog, en hij liet een sikje groeien dat hem deed lijken op de buste, die nog altijd prominent het bureau sierde.

Chris hield zijn blik op een van de hertenkoppen gericht. Hij vertelde dat hij en zijn broertje vroeger vaak gingen jagen in het bos, en dat het hem zou plezieren om eens met echte jagers op stap te gaan. Hij vertelde over de muziekcarrière van zijn broer, op wie hij erg trots was. Hij zei ook dat hij graag dokter wilde worden om mensen te helpen, net als papa en mama. Hij zweeg over Nanny. Toen de dokter het gesprek in die richting wilde leiden, week Chris ervan af, alsof het hem niet interesseerde.

De volgende dag lagen er geen pillen meer bij zijn bord. Hij beloofde zichzelf zijn ouders niets meer over Nanny te vragen. Tot het juiste moment gekomen was.

Eerst wilde hij weten wat er met hemzelf gebeurd was, de afgelopen twee jaar.

19

Ze naderen het bruggetje over de beek. Sam, die anders snel is afgeleid, blijft verwoed kastanjes zoeken. Hij slaat ze niet meer in het wilde weg het bos in, hij mikt. Op een stam, op een tak, op een late bloem aan een struik, op een paaltje met weer een Latijnse naam voor het herbarium.

Telkens als Sam raak slaat, steekt hij zijn staf omhoog. Bij het bruggetje vindt hij een nieuwe uitdaging: de kastanjes de beek in mikken. Het kost hem enige moeite om de goede slag te vinden; de kastanjes moeten omhoog maar niet te ver, zodat ze met een luide plons in de beek belanden en zo veel mogelijk water doen opspatten. Als hij die slag eenmaal te pakken heeft, gaat het snel. Op den duur vliegen naast kastanjes ook kleine stenen en aardkluiten de beek in.

Dan staat Sam weer klaar om te slaan, maar de staf blijft langer hangen. Hij kijkt naar zijn vader, hij grijnst, hij wiebelt even met zijn kont voor hij slaat. De slag is perfect, met een mooi boogje en een zachte plop in het water.

Chris gaat aan de reling van het bruggetje staan. Hij ziet de huisjesslak liggen. Sam komt over de reling hangen.

'Die verdrinkt', zegt Chris.

'Hij kan zwemmen, toch?'

Sam buigt over de reling om de doodsstrijd van de slak beter te kunnen volgen.

'Wat een stom beest ben je als je niet kunt zwemmen', fluistert hij.

20

'Misschien heeft de jongen een huisdier nodig', zei de vader van Charlotte na de vakantie in Zwitserland. Hij liet de woorden even bezinken terwijl hij het vlees draaide op de barbecue. Zonder van de worsten op te kijken ging hij verder. 'Dieren zijn aanhankelijk. Hij hoeft geen vriend te zijn, hij is het baasje.'

'Dat is niet zo'n gek idee, papa', zei Charlotte. Wat denk jij? leken haar ogen te vragen. Chris nam een slok van zijn bier. Sam was achter in de tuin aan het rotzooien tussen de struiken. In zijn hoofd zag hij wat Sam allemaal kon doen met een hamster, cavia of konijn. Gebroken pootjes, uitgestoken oogjes, afgeknipte oortjes. Hij zag al een dierenlijkje uit een afvoer steken of uit een zak diepvriesgroenten vallen. En hoe snel kon een brandend knaagdier een huis in lichterlaaie zetten?

Charlotte stootte hem aan. 'Het is het proberen waard, toch?'

'Ik denk niet dat hij er met boomstammen achteraan gaat gooien', lachte Eddy. Hij legde de worsten op een schaal. Om de eetlust van de buren op te wekken strooide hij een hand kruiden op de kolen. Martine kwam naar buiten met de aardappelsalade.

'Het lijkt me ook wel leuk dat Sam er een kameraad bij krijgt', zei zij, alsof ze het over een broertje of een zusje had.

'Dat is drie tegen een', zei Charlottes vader.

'Jullie willen dat hij beloond wordt voor wat hij gedaan heeft?'

Er viel een stilte waarin Eddy, Martine en Charlotte een blik wisselden alsof ze dit gesprek al eerder gevoerd hadden.

'Je bent te streng voor Sam', zei Eddy. 'Als hij bij ons is, hebben we nooit problemen met hem.'

'Dat komt', zei Chris, 'omdat jullie hem enorm verwennen. Wat zou hij moeilijk doen als je hem voortdurend in de watten legt?'

'Je vangt geen vliegen met azijn. Wanneer heb je die jongen voor het laatst geknuffeld?'

Charlotte keek bedenkelijk. 'Papa', fluisterde ze.

'Dat zijn jouw zaken niet', zei Chris.

'Sam heeft affectie nodig,' ging Eddy door, 'als hij zelf een beetje affectie kan geven aan een dier, wordt hij misschien minder agressief.'

Charlotte had twijfel in haar ogen.

'Als je geen psycholoog en ook geen pillen wilt,' zei ze tegen Chris, 'moeten we toch iets vinden om hem wat in te tomen.'

'Het is het een of het ander', zei Eddy.

Chris keek naar de worst op zijn bord. Dan moesten ze het zelf maar weten. Hij verbeet zijn woede en terwijl Martine om Sam riep, zei hij: 'Oké dan.'

De eerste keer dat het grijze tijgertje dat Sam Poes had genoemd, tegen zijn been opsprong, dacht Chris: let jij maar op, doe maar een beetje aardig tegen het gezinslid dat vanaf morgen je bak schoonmaakt. Maar Chris vergiste zich. Hij hoefde geen kattenbak schoon te maken, water te verversen of kittenvoer aan te vullen.

Als Chris 's avonds thuiskwam, dartelde het katje samen met Sam achter balletjes of poppetjes aan, smakte het net een nieuw zakje kittenvoeding naar binnen of lag het te ronken op Sams schoot. Vanuit de fauteuil knipoogde Charlotte naar Chris.

Op een avond wilde Sam het katje meenemen naar zijn kamer. Chris hield hem tegen.

'Niet met de kat op je kamer, Sam. Da's onhygiënisch.'

Charlotte kwam erbij staan.

'Ik heb het 'm beloofd', zei ze. Sam wachtte niet af en rende naar boven.

Charlotte trok Chris de woonkamer in.

'Laat hem nou', zei ze.

'Die kat houdt hem de hele nacht wakker. Het is vies. Wat als ...?'

Charlotte pakte hem vast.

'Dat zien we dan wel, dat wijst zich vanzelf. Alsjeblieft, laat hem.'

Hij liet hem. Soms hoorde hij 's nachts de kattenpootjes op de trap als het beestje in de berging ging eten of haar behoefte doen. Na een week trippelde het katje overal achter Sam aan, die zacht tegen haar praatte en haar kunstjes probeerde te leren.

'Ze wordt de eerste circuskat, mam', riep hij als Poes een balletje ving.

Charlotte vond het geweldig, en Chris, zo moest hij eerlijk toegeven, ook. Hij verwonderde zich over de zorg die Sam aan de kat besteedde, en de volledige overgave van het dier, dat zich pas helemaal op haar gemak voelde als de jongen in haar buurt was.

Toen Chris een maand later het huisvuil buiten wilde zetten, zaten er witte vlokken tussen het afval. Had Charlotte een voorraad watten weggegooid? Waarom? Hij groef in het vuilnis. Aan een paar watten zat een reep bruine stof.

Hij ging met zijn arm tot aan de elleboog het vuilnis in. Zijn hand glibberde langs zurige, weke spaghetti, koffieprut en bolognaisesaus. Ze deden het afval altijd in plastic zakken, maar blijkbaar had iemand het er nu gewoon los ingegooid. Hij haalde meer witte plukken en repen stof boven. Zijn hand gleed langs oud brood en bedorven ham. Hij voelde een groot, bol stuk stof en trok het omhoog.

Het was de kop. Besmeurd met saus en koffieprut. Waar de ogen hadden moeten zitten, puilden witte plukjes pluche uit de gaten. Op de plaats van het rechteroor zat een rode veeg.

Terug in huis vroeg hij Charlotte: 'Heb jij Beer bij het afval gegooid?'

Ze keek op van het fornuis.

'Hè? Wat zeg je?'

'Beer. Hij ligt tussen het afval, in stukken gescheurd.'

Hij ging naar de woonkamer.

Sam zat voor de tv. Op zijn schoot lag de kat met gesloten ogen te spinnen.

'Ik vond Beer tussen het afval', zei Chris.

De jongen zweeg. De kat opende haar oogjes en begon haar voorpoten te likken.

'Beer, in stukken tussen het afval', herhaalde Chris.

Sam zuchtte.

'Nou en?'

'Hij was je beste vriend.'

Hij aaide de kat over haar kop.

'Ik heb Beer niet meer nodig.'

De kat geeuwde. Sam streelde haar onder het kinnetje.

'Ik heb Poes nu.'

21

Sam is alle interesse in de kastanjes verloren. Hij zoekt nu huisjesslakken. De zeldzame exemplaren die hij vindt, trapt hij tot moes. Een glimlachje als het huisje kraakt onder zijn zool. Daarna bestudeert hij het resultaat en gaat op zoek naar de volgende.

Chris schikt het heuptasje, dat door het wandelen steeds opzij schuift. Door de stof heen voelt hij de voorwerpen die erin zitten. Alles is er. Hij herkent de bomen waartussen hij vorige week de plaats ontdekte. Hij trekt een grimas, want door de nieuwe schoenen heeft hij op de hiel van elke voet een blaar. Hij legt de herbariummap op het pad.

Chris' hartslag versnelt als hij het heuptasje opent. De rits hapert een beetje. Het flesje water voelt nog altijd koel aan. Hij haalt het er uit. De pen laat hij zitten.

'Sam!'

De jongen, verveeld omdat hij geen huisjesslakken

meer vindt en naaktslakken niet kraken, staat stil en kijkt om.

Chris toont het flesje.

'Wil je wat drinken?'

Hij kan de woorden amper uitspreken, de adrenaline heeft alle vocht uit zijn slijmvliezen gezogen. Zijn wangen tintelen.

Sam komt naar hem toe gelopen. Chris opent de fles en reikt hem Sam aan.

De jongen neemt de fles niet over.

'Heb je geen dorst?'

Sam schudt het hoofd.

'Ik wil cola.'

'We hebben geen cola, Sam.'

'Ik wil cola!'

Chris zucht.

'Drink een beetje wa...'

'Cola! Cola! Cola!'

Bij elk woord stampt Sam op de grond.

Chris had voorzien dat dit kon gebeuren. Maar de kans was te groot dat de cola het effect van de insuline zou verstoren. Rustig blijven, er is nog niks verloren.

'Ik heb ...'

'Cola!' schreeuwt Sam. Hij stormt op Chris af en slaat tegen zijn uitgestoken hand. Voor hij het beseft, rolt het flesje over het pad. Het water gutst eruit.

'Drink je piswater zelf!'

Chris springt achter de fles aan. Er zit nog voor ongeveer eenderde water in. Genoeg.

'Sam, kom hier!' roept hij.

'Blijf bij me weg!'

De jongen neemt afstand. Hij loopt voorbij de bomen.

Voorbij de plaats met het hoge gras.

De pijn van scheurende blaren ontploft op Chris' hielen als hij de achtervolging inzet.

22

'Waarom ging je bij hem weg?'

'Zou jij het bij zo iemand uithouden?'

Er zit een trilling in Charlottes stem. De hand gaat nog eens door het haar, ze haalt er het model uit.

'Je hebt alles bewaard', zegt Tess.

'Mijn advocaat vond het goed bewijsmateriaal om het exclusief ouderlijk gezag te claimen.'

'Dat kreeg je twee weken geleden, is het niet?'

'Ja, en Chris kreeg er een contactverbod bovenop.' Ze kijkt weg. 'Het bleef niet alleen bij de artikelen. Hij belde vaak, hij volgde mij en Sam, hij kwam onder het raam staan. Het moest stoppen.'

'Ik kan me voorstellen dat Chris erg kwaad was over dat contactverbod.'

'Natuurlijk.'

Charlotte slaat haar ogen neer. Tess grijpt een blad van tafel.

'Wat bedoelt Chris hiermee, Charlotte?'

Ze houdt een artikel omhoog over een meisje dat werd mishandeld door een jongen uit de buurt. HERINNER JE JE EMELY'S GEZICHT staat er in de marge.

'Emely was jullie buurmeisje, toch? Wat was er gebeurd met haar gezicht?'

Charlottes houding verstrakt, alsof ze een por in de rug krijgt.

'Chris denkt dat Sam Emely iets gaat aandoen. En dat het niet lang meer zal duren voor het gebeurt.'

'En wat heeft haar gezicht daarmee te maken?'

'Er gebeurde iets op het verjaardagsfeestje.'

Ze zoekt een foto op de tafel, geeft hem aan Tess en zegt: 'Dit is Emely. Zij was er ook.'

Tess ziet een verlegen blik onder sluik, vet haar. Zo'n gezichtsuitdrukking zag ze vaker. Het is de blik van een geboren slachtoffer.

Dan klinkt de bel.

Charlotte schrikt op, Tess vliegt naar de intercom.

'Hallo?'

'Charlotte?'

'Tess Jonkman, lokale recherche.'

'Dag, mevrouw, ik ben Eddy, Charlottes vader.'

Op de achtergrond hoort ze een vrouwenstem. Tess wendt zich tot Charlotte.

'Het zijn je ouders.'

Charlotte perst haar lippen op elkaar en zakt neer op een stoel.

'Komt u maar naar boven', zegt Tess en ze drukt op de zoemer.

Tess blijft in de woonkamer staan als Charlottes ouders binnenkomen. Haar empathisch talent spoort haar aan op de gang te wachten tot ze de eerste emoties hebben gedeeld, maar soms moet medeleven wijken voor gezond verstand. Het geneert haar om getuige te zijn van intieme emoties waarmee ze niets te maken heeft, dus probeert ze in een hoekje naast een soort palmachtige plant onzichtbaar te zijn. Tijdens de omhelzing van Charlotte en haar ouders kijkt ze naar een grote foto boven de bank. Wang tegen wang lachen Charlotte en Sam naar de camera. De foto is gemaakt in een studio. Aan de muren hangen opvallend veel foto's van haar en Sam – in een pretpark, aan een strand; op eentje herkent Tess het park aan de overkant – en in de keuken versieren verjaardagskaartjes en tekeningen een groot prikbord.

De ruimte is gezellig ingericht met oude meubels en een grote stoffen fauteuil waarin het lekker wegzakken moet zijn. Het ideale plaatje voor een gelukkig gezin. Alleen de geur van pannenkoeken ontbreekt. In niets lijkt dit appartement op de woning van een geterroriseerde moeder en haar gestoorde zoon. Tess kijkt weer naar de grote foto, naar de donkere ogen van de moeder en de nog donkerder ogen van de zoon, en vraagt zich af hoelang zij zelf het wangedrag zou kunnen verdragen, mocht ze een dergelijk kind hebben, en hoe ze zou proberen ermee te leven. Aan welke kant van de gekte zou zij terechtkomen? Zou ze vergoelijkende verklaringen zoeken, de zachte aanpak die elke mislukking overgoot met moederliefde, of zou er een moment komen dat ze het gedrag niet langer kon aanzien en een radicale keuze maakte?

En wat als haar man voor de andere kant koos? Hoelang zou ze bij hem kunnen blijven?

Tess ontwaakt uit de dagdroom. Haar aanwezigheid verstoort de ontmoeting. Ze fluisteren.

'Chris heeft Sam ontvoerd?' vraagt Eddy als Charlotte hem loslaat uit de omhelzing.

Charlotte knikt en zegt iets wat Tess niet kan verstaan.

'Wat?' zegt de moeder. 'Vermoorden?'

'Hebben ze 'm al?' vraagt Eddy. Hij kijkt naar Tess.

'Nee,' zegt Charlotte, 'en ik denk niet dat ...' De rest is weer onverstaanbaar.

'Typisch', zegt Eddy.

Hun ergernis verandert in gespannen verwachting als ze zich naar Tess keren. Ze heeft een hekel aan die blik, alsof agenten op de politieschool netjes de oplossing voor elke situatie ingelepeld krijgen. Terwijl hun succes vooral gebaseerd is op domme fouten van de daders. Omdat Tess niet meteen iets zegt, verleggen ze hun aandacht naar de tafel. De moeder pakt een foto, schrikt en legt hem terug. Eddy herkent de foto's.

'Wat heeft dit te betekenen?'

'Hebt u een idee waar meneer Walschap met Sam naartoe kan gaan?'

Eddy schudt het hoofd.

'Nee, maar ik weet wel dat dit er niets mee te maken heeft. Mijn kleinzoon is in gevaar. Waarom zit u hier een beetje door foto's te bladeren? U valt mijn dochter lastig met vragen die er niet toe doen terwijl de dader vrij rondloopt. Dat kan de politie goed, hè?'

'Papa, je hart', zegt Charlotte.

'U moet dáár zijn!'

Hijgend wijst hij naar buiten.

'Hier gaat u mijn kleinzoon niet vinden, en ook die gestoorde vader van hem niet!'

Tess kent dit soort mannen, ze doen haar denken aan de chihuahua van haar oma. Waarschijnlijk post hij bij nieuwsberichten op internet regelmatig reacties in de trant van 'Met ons belastinggeld!' of 'Schande!' Van Charlottes ouders kan Tess geen hulp verwachten, dus houdt ze het beter bij de praktische zaken.

'Blijft u hier of neemt u Charlotte mee naar uw huis?' vraagt ze.

De woede in hun ogen maakt plaats voor onzekerheid.

'We dachten hier te blijven,' zegt de moeder, 'voor het geval Sam op eigen houtje terugkeert. Maar als u ...'

Tess heft een hand op.

'Dat is prima.' Ze gaat bij het raam staan en schuift het gordijn opzij.

'Mijn collega's blijven de hele dag en nacht waken. U hoeft zich geen zorgen te maken als meneer Walschap voor de deur staat.'

'U houdt er nog rekening mee dat ...' Eddy slikt.

'De kans bestaat, ja.'

'Niet om Sam terug te brengen', fluistert Charlotte.

Tess gaat bij haar staan.

'Als iets je nog te binnen schiet, om het even wat, hoe onbenullig het ook kan lijken, laat het me weten. Maakt niet uit hoe laat. Je kunt me altijd bereiken.'

Als ze buitenkomt knikt Tess naar de collega's in de oude Peugeot. Ze steken hun hand op. Tess knipoogt tevreden, ze zijn alert.

Uit de binnenzak van haar jas vist ze een sigaret, ze zuigt de nicotine diep in haar longen en blaast de rook uit in de richting van het park aan de overkant. Daar wordt het wel weer in zuurstof omgezet, denkt ze kuchend. Vorig jaar had ze zich voorgenomen elke avond het hele pad rond het park te lopen onder de beschutting van de hoge bomen. Hoeveel keer was het haar gelukt? Was het de derde of de vierde avond dat ze het opgaf na de helft van het traject? Omdat het zo hard regende. Ze was er nooit meer teruggekomen. Zoekt ze niet altijd een reden om te stoppen met sporten? Hoelang al staat de hometrainer op haar slaapkamer stof te verzamelen?

Ze pakt haar telefoon om te kijken of er nog berichten zijn. Ze schrikt als hij overgaat.

'Tess.'

'Met Frank. We hebben een groot deel van Walschaps rommel doorgenomen, maar niets wat ons kan helpen hem te vinden.'

'Fuck.' Ze neemt een trek van de sigaret en zegt: 'Ik wil dat jullie nog eens naar de buren gaan.'

'Die muffe buren?'

'Ja,' zegt Tess, 'ondervraag de dochter, Emely. Zij is blijkbaar een spil in dit geflipte gedoe.'

'Oké, doen we. We hebben ook goed nieuws. De nerd is de computers aan het uitpluizen.'

De nerd, zo noemen ze hun IT-specialist Nico. Die dat helemaal prima vindt.

'Wacht eens, hij wil je spreken. Ik geef je 'm even.'

Ze hoort hoe de telefoon wordt doorgegeven, en dan luid, alsof hij het in haar oor roept: 'Hoi, Tess!'

'Dag, Nico.'

'Goed nieuws over de computers. Een makkie, er zat geen beveiliging op. Ik heb nog niet alles bekeken, maar ik stuitte net op iets interessants.'

'Vertel.'

'Zijn internetgebruik is opvallend. Naast online kranten, af en toe Facebook en internetbankieren, the usual stuff, surfte hij naar de site van de plaatselijke huisartsenkring – ook nog logisch. Maar voor de rest zijn het bijna allemaal wetenschappelijke websites.'

'Hij zocht naar studies over psychopathie. Dat heeft zijn ex me verteld.'

'Yep, zijn downloadmap zit vol gestoordenshit.'

'Je zei "bijna allemaal". Wat verder?'

'De site van het regionale bosbeheer, en de blog van een lagere schoolklas. That's it.'

'Een blog?'

'Dat doen hippe juffen en meesters wel vaker. Is leuk voor de ouders en voor de kids. Die zijn enorm snel aan de slag met de nieuwe media. Geef de nieuwe iPhone aan een vijfjarige en ...'

'Nico, ter zake! Wat staat er in die blog?'

'Foto's van uitstapjes, dingen over het schoolfeest, en zo. De laatste post is van vorige week. Ik lees 'm voor, wacht even.'

Terwijl ze hoort hoe zijn vingers over een toetsenbord tokkelen, kijkt ze naar de kruinen rond het pad. Ze glinsteren.

'Hier is het. De titel luidt "Herbarium". Gepost door juf Jolien.' Hij kucht. '"De zomer is bijna voorbij en de herfst staat voor de deur. De dagen worden korter en de bomen verliezen hun blaadjes. Zag je er al naar beneden dwarrelen? Het ideale seizoen dus om een herbarium te maken! Een herbarium is een verzameling van gedroogde bladeren. Ga vanaf volgende week woensdag met je papa of mama naar het bos en verzamel de bladeren die we bespreken in de klas!"' Hij pauzeert en zegt dan: 'Nou, dat is het.'

'Bedankt, Nico', zegt Tess. 'Geef me meteen Frank nog even.'

Ze neemt een laatste trek van de sigaret en gooit de peuk in de goot.

'Tess?'

'Heb je het gehoord?'

'Ja.'

'Die klootzak zit in het bos.'

23

Het is juist dat de gordijnen doorgaans gesloten waren en het onkruid tussen de stoeptegels onaangeroerd bleef. De verf van de voordeur begon af te bladderen en er zaten spinnenwebben onder de vensterbanken. Ja, hij zag het. Ja, hij wist dat zijn huis steeds meer begon te lijken op een vereenzaamde bejaarde die zich niet meer verzorgde. Maar hij had geen plannen om deze patiënt op te kalefateren.

Wat wilde ze dan? Dat hij doorging met het gewone leventje toen ze hem verliet? Dat hij vrolijk hagen snoeide en raamkozijnen schilderde, terwijl zij hem in de steek gelaten had?

Toen hij die avond thuiskwam, vertelde de stilte hem dat er iets aan de hand was. Was het moment aangebroken? Hier, in zijn eigen huis? Hij rende de trap op, in de zekerheid Charlotte badend in haar bloed in het bad aan te treffen. Maar de badkamer was leeg.

Hij opende de deur van Sams kamer.

'Sam?'

Het bed was opgemaakt. Hij ging bij het raam staan en keek de tuin in. Daar ook niemand. Hij luisterde naar de stilte in een poging geluiden te herkennen. De wekker. Een vogel buiten. Geen ademhaling behalve de zijne.

Onder het bed dwarrelde stof op.

Hij opende de kast. Hier zou Sam zich kunnen verstoppen.

De kast was leeg.

Helemaal leeg.

Geen Sam, maar ook geen jassen en broeken. Hij opende de tweede deur van de kast. Geen ondergoed, T-shirts of sokken.

Chris rende de gang op en stormde de kamer van hem en Charlotte in. Hij negeerde het opgemaakte bed en trok de kast open.

Die was niet leeg. Zijn hemden hingen er, zijn kostuums, zijn sokken en ondergoed lagen nog altijd in dezelfde lade als die ochtend. Maar van Charlotte hing er enkel de zachte geur van haar parfum.

Chris vloekte. Terug op de overloop probeerde hij zijn gedachten te ordenen, maar hij dacht helemaal niets meer. Wat had dit te betekenen?

Hij rende de trap naar de zolder op. Daar vond hij oude rommel en stofnesten. Wat had hij gedacht? Dat Charlotte en Sam op de zolder waren gaan wonen?

Hij liep naar beneden. De woonkamer was onaangeroerd gebleven. Zelfs Charlottes boeken stonden nog in de kast. Ook in de keuken stond alles op zijn plaats: het koffiezetapparaat, de fluitketel op het fornuis, de pot met houten lepels. In de kasten het volledige servies.

Zweet prikte in zijn ogen. Hij ging aan de keukentafel zitten.

Toen viel zijn oog op de envelop.

Chris, zo begon de brief. Geen *Lieve*. Gewoon zijn voornaam.

Hij scande de tekst, woorden sprongen eruit en vormden zinnen in zijn hoofd. Hij sloot zijn ogen, ademde diep in en opende ze opnieuw. Nu las hij de brief zoals ze hem geschreven had. Voor haar was het allemaal begonnen na het verjaardagsfeestje. Ze was geschrokken van wat hij gezegd had. Ze was bedroefd omdat hij bij zijn standpunt was gebleven. Ze was bang omdat hij er zo in opging. Ze had schrik dat hij Sam iets ging aandoen. En dus was ze die namiddag met Sam vertrokken terwijl Chris op huisbezoek en naar het ziekenhuis was. Ze wilde niet dat hij haar contacteerde, ze zou dat zelf doen, later.

Hij belde haar. Ze nam niet op.

Toen hij na vijftien pogingen nog altijd geen gehoor kreeg, gaf hij het op en toetste het nummer van haar ouders in.

Eddy nam op.

'Eddy, met Chris.'

'Dag, Chris.' Normaal gezien volgde daarop: Hoe gaat het? Nu niets.

'Zijn ze bij jullie?'

Eddy zweeg, zijn aarzeling was voelbaar door de telefoon.

'Nee', zei hij ten slotte.

'Ben je daar zeker van?'

'Ze wil je een tijdje niet zien, Chris. Het is beter dat je haar even met rust laat.'

'Waar zijn ze?'
'Dat kan ik je niet vertellen.'
'Weet je waar ze zijn?'
Weer een aarzeling. Hij wist het.
'Ik heb het recht te weten waar ze zijn, Eddy.'
'Dit is voor ons ook erg vervelend, Chris. Charlotte heeft ons pas deze ochtend ingelicht. We zitten zelf met zo veel vragen.'
'Onzin. Dit kan ze niet allemaal alleen geregeld hebben. Jullie hebben dit met zijn drietjes bekokstoofd. Dat deden jullie al langer, hè, Charlotte tegen mij opzetten. Hoelang is het al bezig?'
'Ze zei dat het begonnen is na Sams ...'
'Verjaardagsfeestje, ik weet het.'
'Dat je sindsdien ... raar doet.'
'Je herinnert je toch nog wat er gebeurd is, Eddy, op Sams verjaardagsfeestje?'
'Ik ...'
'Je was er zelf bij, verdomme!'

Ze zaten aan de eikenhouten tafel in de woonkamer. Aan de luster hingen vlaggetjes en rond de buffetkast had Charlotte slingers gewikkeld. Ze had haar uiterste best gedaan om het er gezellig uit te laten zien. Ze probeerde vader en zoon een glimlach te ontlokken terwijl ze foto's maakte, maar er hing een kilte in de kamer die maar deels te verklaren was door de natuurlijke koelte van het herenhuis, zelfs op warme zomerdagen. In de winter kreeg Chris de ruimte amper verwarmd. Het kleine beetje warmte dat de verouderde olieketel opwekte, verdween meteen via de ramen van enkelvoudig glas en de kieren onder de deuren.

Op het midden van de tafel stond een grote verjaardagstaart met negen kaarsjes waaruit een fijn rookpluimpje richting plafond kringelde. Ze waren onder geforceerd applaus uitgeblazen door Sam, die verveeld de weg van de rook naar de luster volgde. Onder zijn stoel zat Poes geduldig te wachten tot ze een stukje taart kreeg.

Rond de tafel zaten Charlottes ouders, Charlotte en Chris, Sam, buurvrouw Suzy en haar dochter Emely. De mensen die de verwaarloosde woning naast Chris' praktijk bewoonden, waren werkloos, Suzy verwachtte ondertussen haar vierde kind. Chris en Charlotte vroegen zich af hoe ze in 's hemelsnaam de hypotheek afbetaalden, maar ze voelden ook een bepaalde sympathie voor hen. Het waren geen kwade zielen, deze mensen kwamen voort uit generaties van armoede en wilden hogerop, al stapelden ze de ene mislukking op het andere ongeluk, betaalden ze hun schulden af door nog grotere schulden te maken en stelden ze zich verder geen vragen bij hun lot om grotendeels van de bijstand te moeten leven.

Alleen de kinderen, die altijd gebogen liepen, kenden schaamte, omdat zij op school begrepen dat er iets niet klopte aan hun manier van leven. En klasgenoten lieten hun goed voelen dat ze niet voldeden aan een norm waarvan ze slechts konden gissen wat die precies inhield.

Charlotte probeerde weleens een praatje te maken met de ouders, maar zij reageerden doorgaans bruut. Met Kerst en Sinterklaas stopte Charlotte Suzy bescheiden geschenkjes toe, en ze bood aan de kinderen te helpen met huiswerk. De desinteresse van de ouders ontgoochelde haar. Hoewel Chris haar inspanningen sympathiek vond, was het voor hem bijna voorspelbaar dat haar goedbedoelde betutteling het omgekeerde effect sorteerde. Charlottes verzorgende natuur – ze was niet voor niets verpleegster geworden – kende ook een autoritaire kant: ze kon het moeilijk verdragen als iemand haar behulpzaamheid afwees. Soms liet je mensen maar beter gewoon hun leven leiden, vond Chris, ook al bracht het hen naar de afgrond en was het verschrikkelijk om te zien hoe leuke peuters stilaan uitgroeiden tot onverzorgde, afgestompte tieners.

'Het stinkt hier', zei Sam toen ze binnenkwamen. Charlotte stuurde hem een vlammende blik.

'Beleefd blijven', zei Chris, al moest hij toegeven dat samen met Suzy en Emely de geur van vochtige schimmel het huis was binnengedrongen.

Naast menslievendheid was het ook wanhoop geweest die Charlotte ertoe had gebracht de buren uit te nodigen. Geen enkel klasgenootje van Sam was komen opdagen. Na een uur waren de acht stoelen leeg gebleven, al hadden volgens Sam zeven vriendjes én de juf toegezegd om naar zijn verjaardagsfeestje te komen. Met ingehouden woede was Charlotte het huis uitgegaan en teruggekomen met Suzy en Emely, die verlegen het hoofd bogen en met bewondering in de woonkamer rondkeken; zo hadden ze hun eigen woonkamer willen inrichten, als ze het geld ervoor hadden.

Sam keek met opgetrokken neus van Suzy naar Emely en terug. Emely boog haar hoofd alsmaar dieper, tot ze bijna met haar voorhoofd het tafellaken raakte, alsof ze bad tot ze eindelijk aan de taart kon beginnen.

'Wat voor werk doet uw man?'

Op die ongelukkige manier probeerde Eddy het ijs te breken.

'Hij stinkt ook', zei Sam.

Charlotte gaf hem een por.

'Diego is werkloos', zei Suzy zonder enige gêne. Emely keek even van onder haar sluike haar naar Sam, die met zijn bestek zat te spelen.

'Hij heeft lang in de bouw gewerkt, maar hij is door zijn rug gegaan. Sindsdien kan hij niet meer werken.'

Bierkratten uit zijn auto laden, dat kon Diego nog wel, had Chris vaak gezien. Hij vroeg zich plots af wie de huisarts van de buren was, en waarom ze niet bij hem kwamen.

'Ah, zo', zei Eddy. 'En u bent huisvrouw?'

Suzy lachte en wees naar haar buik.

'Nummer vier is op komst! En ik heb nu al mijn handen vol aan die drie andere deugnieten.' Ze wreef door Emely's vette haar.

'Zullen we aan de taart beginnen? Iemand koffie?' vroeg Charlotte.

'Graag koffie', zei Suzy.

'Ik ook graag koffie', zei Sam.

Chris knikte alleen maar. Charlotte vulde de kopjes. Ze was vergeten de muziekcompilatie te laten afspelen die ze had samengesteld op de computer.

'Dan zal ik ondertussen de taart aansnijden', zei Eddy, en omdat de daaropvolgende stilte ondraaglijk was, vulde hij aan: 'Zit je op dezelfde school als Emely, Sam?'

Chris hoopte dat hij zou stoppen met zijn smalltalk.

'Ze stinkt', zei Sam.

'Nu is het genoeg!'

Charlotte sloeg met haar vuist op tafel. Emely liet van

schrik het bestek op haar bord vallen. Charlotte legde een hand op haar schouder.

'Sorry dat ik je liet schrikken, Emely.'

Het meisje knikte.

'Bied je excuses aan, Sam.'

Charlotte keek hem strak aan van achter Emely's stoel. Het meisje, een ongewilde buffer tussen de moeder en de zoon, klemde het bestek in haar handen. De knokkels trokken wit weg.

'Maar, mama ...'

'Bied je excuses aan!'

Sam staarde het meisje een tijdje aan. Zijn gezicht ontspande.

'Sorry, Emely', zei Sam. 'Sorry dat ik zei dat je stinkt.'

Charlotte keek tevreden naar Chris. Zie je wel, leek ze te denken. Zie je wel dat hij luistert, dat hij rekening kan houden met andermans gevoelens?

Ja, dacht Chris, als het te laat is.

Nu het incident afgesloten was, kon iedereen gaan eten. Het enige geluid rond de tafel was het smakken van Suzy en Sam, die haar imiteerde door de taart met open mond te kauwen. Na vijf happen had hij er genoeg van en begon hij zijn stuk te prakken tot er op zijn bord alleen een bruine prut overbleef.

Aan het einde van dat schooljaar, nadat Charlotte hem al verlaten had, sprak Chris met Sams juf. Met de scheiding in volle gang nodigde de juf hen allebei apart uit. Ze bespraken Sams rapport, dat gedurende het jaar steeds roder kleurde. Het laatste trimester waren zijn resultaten dramatisch. De juf gaf beknopt commentaar. Geen duidelijke uitschieters, voor elk vak met de hakken over de sloot, behalve voor sport. Daar was hij grandioos voor gezakt. *Sam is geen teamspeler*, had de sportleraar naast zijn punten geschreven. Chris had de man één keer gezien, een schriele krullenbol.

Maar voor sport zouden ze Sam niet laten blijven zitten, vertelde de juf. Ze raffelde het af, zijn zoon was geen leerling waar je als leerkracht veel tijd aan wenste te besteden.

'Hij blinkt nergens in uit en hij heeft nergens echt interesse voor', zei ze terwijl ze het rapport voor hem dichtvouwde.

Chris nam het aan en stond op om zijn jas aan te trekken.

'Meneer Walschap, er is nog iets wat ik u wou vragen.'

Hij ging weer zitten.

'Uw vrouw had een mogelijke verklaring voor Sams moeilijke ... laatste trimester.'

Ze noemde Charlotte nog altijd zijn vrouw. Officieel had ze gelijk.

'Zegt u het maar.'

'Uw vrouw had het over een verjaardagsfeest. Dat Sam erg ontgoocheld was omdat er geen klasgenootjes waren. Wat denkt u daarvan?'

'Er hadden zeven kinderen toegezegd. U begrijpt wel dat het erg kwetsend is voor een kind als er niemand komt opdagen. Hij had heel wat tijd gestoken in het feestje.'

In feite was Charlotte druk bezig geweest het feestje te organiseren. Ze had Sam meegesleurd om de kleur van de marsepein voor de taart te kiezen, en slingers en vlaggetjes te kopen, en thuis gingen ze gezellig samen de uitnodigingen maken. Maar de keren dat Chris hen bezig zag, was Charlotte verwoed aan het knippen en plakken terwijl Sam verveeld voor zich uit staarde.

'Uw vrouw was er erg kwaad over', zei de juf. Er klonk een soort misnoegen in haar stem.

Charlotte was woedend geweest. Ze hadden voor de juf een speciale uitnodiging gemaakt en zelfs zij was niet gekomen.

'Ze zal teleurgesteld geweest zijn dat ook u er niet was. Ze hadden een speciale uitnodiging voor u gemaakt omdat Sam zo naar u opkijkt. Dat de kinderen niet kwamen, was erg, maar we wisten wel dat Sam niet goed lag in de groep. Misschien hadden ze uit beleefdheid toegezegd. Maar van u vond ze het toch ...'

Hij pauzeerde.

'Als ik u mag vragen, wat was precies de reden dat u niet gekomen bent?'

Ze keek even naar haar vingernagels. Daarna naar hem. Er lag een frons over haar voorhoofd.

'Ik heb niet de indruk dat uw zoon naar mij opkijkt, meneer Walschap', zei de juf. Ze ademde luid in en uit. 'Ik heb nooit een uitnodiging ontvangen.'

De verbazing op zijn gezicht ontlokte haar een glimlachje.

'Niemand in de klas heeft een uitnodiging gekregen, meneer Walschap.'

'Mag ik van tafel?'

Charlotte nam een laatste hap van de taart en leek te overdenken wat ze zou antwoorden. Op de achtergrond speelde de muziekcompilatie, Chris had hem uiteindelijk zelf aangezet.

'Mogen Emely en ik buiten spelen?' vroeg Sam nu. Bij

het meisje bevroor de vork in haar hand.

Charlottes gezicht klaarde op. Ze keek van Sam naar Emely.

'Is dat voor jou goed, Suzy?'

Suzy knikte en zei 'mh-hm'.

'Ga maar', lachte Charlotte naar Sam.

Hij stond op en ook Emely schoof haar stoel achteruit. Poes flitste tussen hun benen door naar de deur.

'Nog iemand koffie?' vroeg Charlotte.

'Doe mij maar een biertje', antwoordde Eddy.

Eddy stond op van de tafel om in de keuken een tweede biertje uit de koelkast te halen, toen uit de tuin een afschuwelijk geluid weerklonk, gevolgd door het gejammer van een levend wezen in stervensnood.

'Wat is ...' zei Charlotte, maar Chris was al van zijn stoel opgesprongen. Hij rende de gang in en voelde een lichte bries, de deur naar de tuin stond op een kier. In de paar passen tot hij op het terras was, bereidde hij zich voor op wat hij te zien zou krijgen. Het gejammer klonk griezelig menselijk.

Het eerste wat hij zag, nadat zijn ogen gewend waren geraakt aan het felle zonlicht, was Sams wilde gezicht.

Het tweede was het bloed op zijn handen.

Daarna de grote, verbaasde ogen van Emely.

'Ik wilde haar alleen maar opereren, papa', zei Sam.

Toen gaf Eddy, die achter Chris aan was gekomen, over op zijn schoenen.

Poes' voorpoten waren met een strop samengebonden. Haar achterpoten ook. Ze spartelde en duwde zo haar ingewanden uit het gat in haar buik. Bloed markeerde de weg die ze al had afgelegd.

'O, mijn god', zei Eddy.

Sam huilde. 'Ik wilde haar opereren, papa, zoals jij en opa doen!'

Charlotte kwam langs Chris en ging op haar knieën bij Sam zitten. Ze nam zijn hoofd tussen haar handen en troostte hem.

'Jongen, wat is er gebeurd?'

Eddy, zijn eerste verbijstering te boven gekomen, rende naar het tuinhuis. Hij kwam terug met een spade. Het miauwen van Poes stopte met het geluid van metaal op vlees.

Chris stond als verstijfd en terwijl hij alleen nog Sams gesnik hoorde, keek hij de hele tijd naar de ontzetting op Emely's gezicht, die met grote ogen het tafereel had gevolgd.

Hij zag de gaten in de kop van Beer weer voor zich.

De pluche waar ooit de ogen hadden gezeten.

Ik heb Beer niet meer nodig, had Sam gezegd.

Ik heb Poes nu.

24

Op de open plek wiegt het hoge gras zachtjes heen en weer. Chris hoort een vogel, krekels, het ruisen van de bomen. De kleverige pijn van de opengesprongen blaren tintelt in zijn hielen. Omdat hij stilstaat, zal de pijn zich verspreiden tot zijn enkels. Straks wordt het nog erger, als de huid, die zich nu aan de kous vastzuigt, losscheurt.

Chris vervloekt zijn zwakke conditie, hij liep misschien vijftig meter of het zweet parelde al op zijn voorhoofd. Zijn longen kunnen zijn hortende ademhaling niet volgen. Dorst schroeit zijn keel. Het is aanlokkelijk van het flesje te drinken, één slok zou geen kwaad kunnen.

Hij heeft het flesje niet meer nodig.

Hij keilt het over de vlakte. Tollend verdwijnt het in het gras.

Chris blijft even kijken naar de plaats waar het verdween. Het zal het enige zijn wat hij hier vandaag achterlaat.

Hij zucht en voelt in het heuptasje. Hij haalt de insulinepen eruit, kantelt hem een paar keer en trekt de dop weg. Voorzichtig draait hij de naald op de pen en haalt er de dop en het hoesje af. Hij draait de doseerknop en drukt erop. Er komt insuline uit. Hij zet de knop op de maximale dosering.

Zonder verdoving wordt het een stuk moeilijker, maar moeilijk gaat ook.

De pijn kerft als een granaatscherf door zijn hielen als hij verder loopt.

25

Het raam aan de passagierskant gaat naar beneden en Tess buigt voorover. Ze kan zich de naam van de jongen niet herinneren, dus zegt ze: 'Jij gaat met mij mee.' De jongen knikt. Dan richt ze zich tot de chauffeur.

'Paul, sein deze foto door naar de patrouilles.' Ze overhandigt de foto. Paul kijkt er even naar en dan naar haar.

'Daarna roep je een andere patrouille op om je af te lossen. Kom naar het bos. We denken dat hij daar zit.'

'Oké, Tess.'

De jongen stapt uit en ze gooit de sleutels naar hem toe.

'Rij jij maar, knul.'

'Andy', zegt de jongen, net als ze zich zijn naam weer herinnert.

'Frank, we zijn op weg naar het bos', zegt ze door de radio. 'Komt er versterking?'

'Alle beschikbare patrouilles zijn opgeroepen.'

'Hoe groot is dat bos?'

'Te groot naar mijn zin', zucht Frank. 'Vier ingangen. Veel vluchtroutes.'

'Wat doen we?'

'Er is één hoofdingang met een café erbij. Probeer die. Wij doen de andere.'

'Op goed geluk. Hoe zit het ondertussen bij de rivier?'

'Nog niets gevonden. Maar er is nog een heel stuk te gaan.'

Tess gromt.

'Tot later, Frank.'

Op straat is alles rustig, een kalme nazomerdag, mensen die inkopen doen of genieten van het laatste terrasje.

'Rij maar een beetje harder, Andy.' Ze ziet dat de jonge agent twijfelt en zich aan de snelheidslimiet wil houden.

'Of wil je de dood van dat jongetje op je geweten hebben, zo vroeg in je carrière?'

Andy duwt de gaspedaal in. Tess laat het raampje zakken en steekt een sigaret op. Ze verwacht niet dat Andy bezwaar zal maken.

26

Sam is niet meer op het pad. Chris gluurt in de wirwar van bomen, struiken en onkruid.

'Sam!'

Hij draait de insulinepen in zijn hand terwijl hij het pad verder afloopt, ondertussen speurend of hij een glimp van de jongen opvangt.

'Sam!'

Geritsel.

'Sam?'

Dan springt Sam van achter een boom het pad op.

Ze kijken elkaar aan, hooguit twee seconden.

'Pak me dan als je kan!'

Hij springt terug de struiken in.

'Verdomme', vloekt Chris tussen zijn tanden.

Hij gaat zijn zoon achterna.

27

Het was niet moeilijk om Charlottes nieuwe verblijfplaats te achterhalen. Elke dag nadat ze vertrokken was, vatte hij post in de buurt van de kleine villa van Eddy en Martine. Dichtbij genoeg om te zien wie er op bezoek kwam, ver weg genoeg om niet opgemerkt te worden. De parkeerplaatsen in de villawijk werden afgezoomd door jonge bomen met kleine struiken eromheen. Ideaal om geen aandacht te trekken.

De tweede dag had hij prijs. Hij overwoog net om het op te geven toen uiteindelijk een wit autootje de oprit op reed. De auto kende hij niet, maar haar verwarde kapsel en het wilde, blonde haar van Sam herkende hij meteen. Een auto, verdorie, hoe had ze die zo snel op de kop getikt? En een nummerplaat, dat duurde toch weken? Hij voelde de woede weer in zijn knokkels gloeien. Hoelang van tevoren had ze deze stap voorbereid?

Hij negeerde de drang om uit te stappen. Zijn onderrug en kont smeekten om een beetje beweging. Hij hief zijn achterste op en dat verlichtte de pijn. Hij spande zijn bilspieren en de spieren in zijn bovenbenen.

Hij keek naar de oprit van de villa. Zou hij daar ooit nog welkom zijn? Bestond de kans dat Charlotte tot bezinning kwam? Hij begreep dat het moeilijk voor haar was. Ze wilde zo graag een normale moeder zijn. En Eddy en Martine volhardden in hun idee dat het mogelijk was.

Hij sloeg met zijn hand op het stuur. Dat verdomde verjaardagsfeestje! Suzy en Emely waren plots verdwenen, opgegaan in de chaos nadat Eddy de kat had doodgeslagen. Martine was binnen gaan opruimen zoals een inbreker vingerafdrukken van deurklinken veegt, en toen zij terugkwamen, stond ze al met haar handtas en Eddy's jas in de hand te wachten.

'We bellen nog', zei Martine tegen Charlotte.

Ze verontschuldigden zich ongemakkelijk en vertrokken. Sam rende naar zijn kamer en sloot zijn deur af. Zo bleven Chris en Charlotte achter. De ruzie voltrok zich in de keuken, tussen de borden in de afwasbak en de vlaggetjes op het aanrecht.

Charlotte had, zoals altijd, een verklaring. Ja, ze waren onlangs naar de dierenarts geweest en ja, Chris had de vergelijking gemaakt tussen een mensenarts en een dierenarts. Hij had verteld over het verschil tussen dieren en mensen genezen, over operaties en ... Altijd die excuses van Charlotte, hij had er zijn buik van vol. Chris zei dat Charlotte beter advocate had kunnen worden dan verpleegster, want ze kon voor elke misdaad verzachtende omstandigheden aanvoeren.

Toen vond hij dat hij evengoed zijn kaarten op tafel kon gooien. Na de dood van Poes zou ze eindelijk begrijpen wat er aan de hand was. Als ze het nu niet begreep, dan nooit. Hij kon haar eindelijk het bewijs tonen. Maar hij had zich vergist. Ze was er niet klaar voor geweest.

Charlotte manoeuvreerde op de oprit om weg te rijden, hij startte de motor en gleed traag het parkeervak uit.

Ze had een Suzuki Swift. Hoeveel had ze daarvoor gespaard? Vijfduizend euro? Bij het volgende kruispunt liet hij een andere auto er tussen. Zij had de kleur van de Citroën gekozen, hij had nooit echt gehouden van het zwart. Hij wilde vermijden dat ze hem herkende als ze in haar spiegel keek.

Even leek ze gewoon naar huis te rijden, zoals vroeger. Ze nam precies dezelfde weg die ze altijd namen als ze bij haar ouders op bezoek waren geweest. En inderdaad, ze sloeg hun straat in. Zijn hart maakte een sprongetje. Hadden Martine en Eddy geen vat op haar gekregen? Kwam ze terug, na twee dagen van verstandsverbijstering?

Hun huis lag niet zo ver na de bocht. Ze vertraagde. Chris schoot een parkeerplaats in. Ze zou de Suzuki voor hun deur stilzetten en naar binnen gaan. Ze zou hem in het huis zoeken en proberen het goed te maken. Hij zou even wachten, haar een tijdje laten zoeken – dat had ze wel verdiend – en dan zelf naar binnen gaan op het moment dat zij de trap af kwam. Ze zou hem opgelucht aankijken en zich verslikken in haar verontschuldigingen. En hij zou haar vergeven, want hij begreep maar al te goed hoe moeilijk de hele situatie te bevatten was.

De remlichten van de Suzuki lichtten op, maar Charlotte parkeerde niet. Ze bleef even staan, en toen reed ze verder. Chris vloekte. Het beeld van Charlotte – op de derde trede van de trap, haar gezicht dat van wanhopig naar opgelucht ging – verdween samen met het autotje. Hij moest twee auto's laten passeren voor hij haar weer kon achtervolgen. Hij zag nog net de Suzuki een straat aan de linkerkant indraaien.

Ze volgde een grillig traject, alsof ze een omweg had gemaakt om eerst hun huis te passeren. De rit bracht hem naar een buitenwijk, aan het stadspark. Hij reed er sporadisch langs, op weg naar de supermarkt. Plots remde ze en zwenkte naar links, het parkeerterrein van een appartementengebouw op.

Chris stopte langs de kant van de straat. Hij kende het gebouw, en hij wist meteen in welk appartement ze woonde. Twee hoog. Daar hing nog altijd het bordje TE HUUR aan het raam. Diagonaal over het bord liep een sticker. TE LAAT stond erop.

Hij wachtte vijf minuten. Toen Charlotte en Sam niet van het parkeerterrein kwamen, vermoedde hij dat ze het gebouw via de achterkant binnen waren gegaan. Hij stapte uit. Vreemd was het. Enkele dagen geleden nog was hij hier voorbijgereden. Toen had hij de sticker al gezien en zich afgevraagd aan wie het was verhuurd. Het appartement werd al meer dan drie maanden aangeboden. Charlotte wist dat ook, waarschijnlijk had ze goed kunnen onderhandelen over de huurprijs.

TE LAAT!

Het leek alsof de sticker er voor hém hing. Hij stak snel de straat over, misschien had ze hem al gezien van achter het gordijn. Hij wilde haar verrassen. In de ontvangsthal stelde hij opgelucht vast dat er geen camera in de intercom zat. Haar bel hoefde hij niet te zoeken. Ze had voor haar naam het onleesbare Scriptlettertype gebruikt dat ze zelf altijd elegant had genoemd. Haar meisjesnaam naast de bel was als een messteek in zijn hart. Hij wreef met zijn wijsvinger over het plastic plaatje. De meeste andere plaatjes waren vies, en eronder zat vaak een papiertje met een naam in een slordig handschrift. Soms enkel een voornaam. Veel buitenlandse namen.

Het plaatje van Charlotte was kraaknet, alsof ze het leuk vond er te wonen. Ze wilde haar nieuwe leventje helemaal netjes op orde hebben. Hoe zei het spreekwoord het ook weer? Met een schone lei beginnen? Weer een steek in zijn hart.

Hij gleed met zijn vinger over de bel. Hij vond het moeilijker dan hij verwacht had. Toen hij de straat overstak leek het simpel: hij duwde op de bel, ze beantwoordde op haar typische vrolijke toon de intercom en vervolgens schold hij haar de huid vol.

Zijn vinger lag weer op de zwarte knop.

Hij drukte.

Na amper vijf tellen klonk een stem.

'Hallo?'

Het was niet zij. Het was de jongen.

Chris' adem stokte. Hij kreeg geen lucht meer binnen.

'Hallo?'

Chris probeerde adem te halen, maar zijn luchtpijp leek in een kramp geschoten.

'Mam ...?'

'Hallo? Wie is daar?'

Nu was het haar stem.

Een zucht en ze verbrak de verbinding.

Daar, in de hal van het appartementengebouw, hoorde hij alleen nog het kloppen van de aders in zijn slapen.

De volgende ochtend stond hij er weer. Rond acht uur kwam Sam naar buiten. In zijn typische, sloffende stijl, alsof er aan elk been een loden bol hing, wandelde hij richting school. Zijn houding was begrijpelijk: veel plezier viel er niet te beleven als je elk jaar van school veranderde en geen vrienden maakte.

Toen Sam achter een hoek verdween, leunde Chris weer achterover. Vandaag ging het niet over Sam. Hij maakte van de pauze gebruik om de straat wat beter te bekijken. Er was een kleine buurtwinkel, verderop brandde het groene kruis van een apotheek, en als hij zich niet vergiste, lag er na het volgende kruispunt een tankstation. Een goede keuze, dit appartement. Bovendien keek het uit op het park, omzoomd door een wandelpad dat aan weerskanten beschutting bood tegen de zon door een rij beuken. Ideaal voor uw zoon om te spelen, zal de makelaar wel gezegd hebben. Een vieze smaak vulde Chris' mond toen hij bedacht hoe Charlotte om die opmerking gelachen zou hebben.

Hij opende een flesje water en nam een slok. Hij spoelde zijn mond en slikte het door. *Wie flessenwater drinkt, is gek*, had een woordvoerder van de watermaatschappij de vorige dag op tv gezegd. *Water uit de kraan is zó veel goedkoper, en even lekker!* Chris had altijd water uit flessen gedronken. Alleen het idee dat kraanwater uit de riolen gefilterd is, maakt me misselijk, had zijn moeder vaak gezegd. Zij maakte zelfs koffie met flessenwater. Als kind beeldde Chris zich in hoe alle afval door de riolen vloeide en in het zuiveringsstation terechtkwam, en van daar in de kraan. Ook hij gebruikte flessenwater voor de koffie.

Charlotte dronk uit de kraan toen hij haar leerde kennen. Deed ze dat nu weer, nu ze op de kleintjes moest letten? Nanny dronk ook altijd uit de kraan. *Het gaat van boven erin, het moet van onder eruit, het komt door de kraan, waarvandaan maakt me niet uit*, had ze eens gezongen toen Chris haar erop aansprak. Hij had er erg om moeten lachen.

Hij nam een tweede slok en gorgelde. Het ontspande zijn keel. Hij verslikte zich bijna toen de witte Suzuki Swift naar buiten gereden kwam.

De rit duurde niet langer dan vijf minuten. Toen Charlotte de ringweg opdraaide, wist Chris waar ze naartoe ging. Maar hij volgde haar toch, tot ze aan de slagboom van de parkeerplaats stond en een badge voor het apparaat hield, waarna de slagboom omhoogging. Hij had haar kunnen blijven volgen, hij had ook een pasje. Hij gebruikte het eenmaal in de week om patiënten te bezoeken die waren opgenomen. Meestal krijgen mensen liefst zo weinig mogelijk bezoek in het ziekenhuis, maar het kon op weinig sympathie rekenen als de huisarts zich niet liet zien.

Het autootje reed naar de parking voor medewerkers. Toen ze uitstapte en met een lichte looppas naar het ziekenhuis beende, moest hij zich bedwingen om niet naar haar toe te rennen en haar door elkaar te schudden. Andere mensen – haar ouders bijvoorbeeld – bewonderden allicht de manier waarop ze haar leven in eigen hand nam, hoe ze – na jaren als huisvrouw – in zo'n korte tijd haar baan als verpleegster weer had opgepakt.

Hij moest het haar nageven: haar plannetje zat verdomd goed in elkaar. Ze woonde op een uitstekende locatie, ze had een baan en ze kon met haar auto overal naartoe. Maar de lichtzinnige manier waarop ze met hem omging stoorde Chris mateloos. Hij griste zijn mobiele telefoon uit zijn jas en koos haar nummer. Charlottes looppas stokte en ging over in een wandeltempo terwijl ze in haar handtas graaide. Ze keek niet wie haar belde, ze nam direct op.

'Hallo?'

Hij voelde zijn keel weer dik worden en vervloekte zichzelf dat hij niet eerst nog een slok water had genomen. Hopelijk blokkeerde hij niet zoals de vorige dag.

'Denk je echt dat dit een oplossing is?' Zijn stem trilde en hij sprak de woorden te snel uit. Toch hadden ze effect. Haar beweging bevroor.

'Chris.' Ze zei het zuchtend. Ooit moest deze confrontatie ervan komen, misschien was ze opgelucht dat het nu al zover was. Of ze hapte naar adem door het sprintje.

'Waar ben je mee bezig, Charlotte?'

Ze wandelde een stukje, keerde weer om en begon te ijsberen, zoals iedereen die staande telefoneert.

'Ik wil dat je ons met rust laat.'

'Hoelang ben je dit al van plan?'

Ze zweeg. Ze draaide nerveus in een rondje. Ze had hem nog niet gezien.

'Je verbaast me, Charlotte. Je mooie appartement, je nieuwe baan in het ziekenhuis.'

Ze stond stil.

'Was jij dat gisteren?'

Ze draaide rond.

'Je moet ons met rust laten, Chris. Je hoort nog van mijn advocaat.'

'Hoe gaat het met onze zoon?'

Charlotte hing op en gooide de telefoon in haar handtas. Ze draaide nog één keer speurend om haar as en verdween in het ziekenhuis.

28

Aan de horizon, boven de maïsvelden, doemt het bos op. Tess houdt van de dichte bomenformatie, er gaat een spannende dreiging van uit die haar herinnert aan de tijd in het bos met de scouts. Al hoopt ze dat de teams aan de rivier bellen met nieuws, want ze heeft geen zin dat donkere woud uit te kammen op zoek naar een gestoorde vader met een gestoord idee. Maar er komt geen bericht, en hoe dichter ze het bos naderen, hoe meer ze ervan overtuigd raakt dat Walschap daar is. De kruinen lijken naar haar te wuiven: *Kom, hij is hier. Kom hem halen.*

Andy stuurt de auto de berm in. Op deze kronkelweg is geen plaats voor twee auto's, maar hij stopt niet voor een tegenligger.

'Die hond is op stap met zijn baas', grinnikt hij. Andy laat zijn raam zakken en gaat uit de auto hangen. De hond, een prachtig dier – het lijkt een kruising tussen een blonde labrador en een dog, maar dubbel zo groot

– is duidelijk te sterk voor de kleine vrouw. Ze wandelt als iemand die een berg afdaalt, kont en schouders achteruit, afremmend met de voeten, de lijn tussen haar en de hond strak gespannen. Het beest heeft de helft van het boerenweggetje nodig om lustig zijn neus te volgen.

'Dat is geen hond, dat is een trekpaard', hikt Andy en hij verslikt zich in zijn lach.

Hoestend slaat hij zich op de borst.

'Rustig maar, Kay, kalm', zegt de vrouw, spiedend naar de auto. Ze wrijft een haarlok uit haar gezicht, maar de lok valt meteen terug. Als ze de proestende Andy ziet, geeft ze een kort rukje aan de riem. De hond blaft en richt zijn kop naar de auto. Andy steekt zijn hand op.

'Dag, hond!' zegt hij, en bij wijze van verontschuldiging, als een schooljongen, 'dag, mevrouw.'

De vrouw knikt. Er zitten grote rode vlekken op haar gezicht, dat op sommige plaatsen zelfs paars kleurt.

'Komt recht uit het café, als je het mij vraagt', zegt Andy als ze voorbij is.

Tess kijkt in de achteruitkijkspiegel. De hond snuffelt langs de berm, de vrouw hangt aan de riem, haar slip duidelijk afgetekend in haar witte broek. Eronder draagt ze witte sportschoenen, die niet passen bij haar burgerlijke kleren.

Tess stoot Andy aan.

'Kijk en leer.'

Ze stapt uit en wandelt naar de vrouw.

'Mevrouw!'

Achter zich hoort ze Andy vloekend de autodeur openen.

De vrouw draait zich om. De hond, die verder wil wandelen, doet haar struikelen, maar ze kan haar evenwicht bewaren.

'Tess Jonkman van de lokale recherche.'

De vrouw schrikt. Alsof ze ergens een hondendrol heeft laten liggen.

'Hebt u een man met een jongetje gezien? Man van begin veertig, jongetje elf jaar oud.'

'Blond haar?' vraagt de vrouw opgelucht. Tess knikt.

'Ja, die heb ik gezien. De jongen gooide kastanjes naar Kay.'

'Waar hebt u ze precies gezien?'

De vrouw wees naar het bos.

'Ik ga er elke dag wandelen met Kay. Maar het is de eerste keer dat ik die twee tegenkwam. Hebben ze nog andere mensen lastiggevallen?'

'Bent u langs het café gekomen?'

'Ja.'

'Stond daar een auto?'

'Eentje maar. Nogal scheef geparkeerd. Dat viel me op.'

'Hoe zag hij eruit?'

'Zo'n type voor zakenlui. Donker.'

'Welke kleur?'

'Zwart? Of donkerblauw, weet ik niet meer precies.'

'Welk merk?'

De vrouw lacht. 'Ik weet niets van auto's!'

'Bedankt', zegt Tess en ze draait zich om, waarbij ze bijna op Andy botst.

'Kom op, Watson, we hebben geen tijd te verliezen.'

Ze rennen naar de auto.

Andy rijdt verder en Tess belt Frank.

'Een getuige heeft hen gezien in het bos.'

'Goed. Je krijgt alle hulp die je nodig hebt. Succes, Tess!'

In haar ooghoeken wordt het bos steeds groter, als een naderende onweerswolk.

29

In zijn herinnering zweefde hij. Hij sprong over struiken, rende door varens, ontweek putten en takken alsof elk hoekje en elk kantje van het bos fotografisch opgeslagen lag in zijn geheugen. Hij ging vooruit in een razend tempo, zoals het hoorde bij een jonge krijger op jacht. Het zweet dat prikte in zijn ogen en het hijgen van zijn broertje, kort achter hem, jaagden hem dieper het hart van het bos in.

Nu raakt hij amper vooruit. Draderige stengels haken zich aan zijn broek en vertragen hem, trekken hem naar stekelig onkruid en ongedierte toe. Jonge takken striemen zijn armen, zijn wangen, zijn voorhoofd en slaan tranen uit zijn ogen en snot uit zijn neus. Zijn hielen zenden pijnsignalen als hij in putten wegzakt en over wortels struikelt. Zelfs gestoken in wandelschoenen zijn je enkels hier niet veilig. Het enige wat hij hoort is zijn eigen gejaagde adem.

Natuurlijk gaat het minder vlot: hij is groter, zwaarder, lomper dan dertig jaar geleden. Zijn gewrichten strammer, zijn conditie beneden peil. Hij is van het bos vervreemd. Maar het ligt niet alleen aan zijn fysiek dat hij zich niet als een hinde voortbeweegt.

Het is de paniek.

Paniek dat het plan aan diggelen ligt, dat alles nu afhangt van zijn koelbloedigheid en het instinct van zijn zoon.

30

Papa sloot zijn werkkamer altijd af. Enkel hij en mama hadden een sleutel. Vroeger had ook Nanny er een, voor als ze er moest schoonmaken. Chris had de sleutelbos zien liggen in het nachtkastje.

Met zijn hart in zijn keel klom hij de trap op. Papa was naar zijn werk, en mama en Gert waren nog maar net vertrokken naar een concert. De trap en de overloop kraakten harder dan vroeger. Omdat ze niet meer werden gebruikt, dacht Chris. De deur van Nanny's kamer was open. Op het bed lag een matras. Er zaten vlekken op. De tekeningen van de jagers waren weggehaald. Op het behangpapier zag hij de lichte plekken waar ze gehangen hadden. Alles wat aan Nanny herinnerde, was verdwenen.

Hij opende de lade van het nachtkastje. Het was leeg. Hij stak zijn hand erin en voelde tot achteraan. Plots koud metaal. De sleutels. Ze lagen achterin, alsof ze verstopt waren. Of vergeten.

Toen hoorde hij een kreun.

Hij verstijfde.

Het kwam uit de badkamer. Traag draaide hij zich om. De deur van het badkamertje stond op een kier. Al was het er donker, hij onderscheidde een stukje van de wastafel, de spiegel en de tegeltjes. Hij luisterde. Hoorde hij gedrup?

Weer een geluid. Een zucht?

'Nanny?' vroeg Chris.

Het kon niet. Nanny was al twee jaar weg. Er was daar niets.

De badkamerdeur ging vanzelf een beetje open. De tegeltjes kregen kleur, een reflectie in de spiegel, er scheen meer licht naar binnen. Hij griste de sleutels uit het nachtkastje, sloeg de deur achter zich dicht en rende gillend naar beneden.

Waar moest hij beginnen? Hij liep langs de kasten vol hangmappen. Allemaal patiënten van papa en mama. Sinds twee jaar was hij ook een patiënt. Dus moest zijn dossier daar ergens tussen zitten. Ze waren alfabetisch gerangschikt. Hij zocht eerst bij de C, maar vond zijn naam niet. Ook bij de W was er geen dossier over hem. Hadden papa en mama de brief van de psychiater wel bewaard?

Het blad van papa's gigantische antieke bureau was leeg. Helemaal anders dan bij de psychiater. Hij trok aan de lade. Moeizaam schoof hij uit het bureau.

Er zat maar één ding in.

Een blauwe map. Met zijn naam erop.

Chris nam de map eruit en ging op de stoel zitten.

Het eerste blad was de brief van de psychiater aan

mama en papa. Hij sprak ze met de voornaam aan. Chris' hart ging als een razende tekeer terwijl hij de brief las. Hij begreep er weinig van, maar één term sprong eruit: posttraumatische stressstoornis. Eronder stond uitleg over de medicatie.

Achter de brief zat een bundeltje papieren geniet. Uitleg over de ingewikkelde term. Bepaalde woorden waren gemarkeerd met groene stift.

Angststoornis. Traumatische ervaring. Herhaalde en ingrijpende onaangename herinneringen. Verontrustende dromen. Intense psychologische spanning. Antidepressiva, slaapmiddelen en benzodiazepinen.

Hij las de stukken die niet waren gemarkeerd. Hij herkende zaken van ná Nanny's ongeval – zo noemden ze het in de familie, een ongeval – maar er stond nergens iets over wat hij had gevoeld vóór het ongeval: opwinding.

Chris bladerde verder.

Achter aan de bundel vond hij nog twee vellen. Een artikel.

De titel luidde: 'Agressie bij kinderen'.

De psychiater had er iets op geschreven.

Zoals je gevraagd hebt, m.i. niet relevant, geen kwade opzet.

Chris vroeg zich af wat 'm.i.' betekende.

Vervolgens las hij het artikel.

Hij las het artikel een tweede keer, vouwde de map netjes dicht en stak hem terug in de lade.

Hij verliet papa's werkkamer. Omdat hij te bang was om ze terug te leggen in Nanny's nachtkastje gooide hij de sleutels in de vijver.

Met hernieuwde interesse las hij de krant. Stiekem haalde hij de oude exemplaren uit de papiermand en knipte artikelen uit. Hij verzamelde ze in zijn eigen map. Een begrip kwam vaak terug: 'psychopathie'. Hij zocht het woord op in een woordenboek. In de bibliotheek kopieerde hij informatie uit encyclopedieën en medische handboeken. Hij vroeg zich af of hij opnieuw een goed mens kon worden.

Hij stelde zijn ouders teleur door een opleiding tot huisarts te verkiezen boven een specialisatie, om dicht bij zijn patiënten te staan. Zijn ouders koesterden vooral hun interesse in de technische kant van het vak, de mens erachter interesseerde hen nauwelijks. En als technisch gespecialiseerde vakmensen keken ze neer op de oppervlakkige praktijk van huisartsen, die zodra het ingewikkeld werd de echte jongens moesten bellen.

Chris maakte het nog erger door tijdens zijn stage in het plaatselijke ziekenhuis een relatie te beginnen met een andere stagiaire. Het had zijn ouders blij gemaakt als het meisje een toekomstige gynaecologe of keel-neus-oorarts was geweest, maar hun gezicht betrok toen hij vertelde dat ze een driejarige opleiding tot verpleegster volgde. Dat Charlotte hem vooral beviel door haar zachte, warme karakter deden ze af als plakkerige romantiek.

Toch betaalden ze zijn peperdure huwelijksfeest, maar meer uit angst uitgelachen te worden door hun collega's dan uit liefde voor hun schoondochter, die liever een gemoedelijk feest had gewild in de verbouwde schuur van een oude boerderij dan het luxueuze feest in een neoclassicistisch kasteel. Het had geen zin erover te onderhandelen.

Toen hij na het dessert, terwijl de meeste gasten op

de dansvloer stonden, zijn vader zag leunen op de balustrade bij de grootse trap die naar de tuin leidde, was het moment gekomen. Hij ging bij hem staan, kijkend naar enkele mannen die beneden een balletje trapten.

'Het is een prachtig feest, jongen', zei zijn vader, met in zijn stem de traagheid van te veel wijn.

'Daarvoor moet ik jou en mama bedanken.'

Hij bleef naar de mannen kijken terwijl hij de blik van zijn vader op hem gericht voelde.

'Ben je tevreden, Chris?'

Hij knikte, zijn vader zou geen ander antwoord aanvaard hebben. En toch zei hij: 'Het is prachtig, papa. Op één ding na.'

Zijn vader haalde snuivend adem, boog over de balustrade en zocht zijn blik. Chris keek hem aan. Zijn gezicht was rood, zijn oogleden halfdicht, zoals Nanny die avond zo lang geleden.

'Wat dan? Was er niet genoeg champagne?'

De lach van zijn vader ging over in een hoest, maar Chris durfde hem niet op de rug te slaan.

'Het was niet de champagne, papa.'

'Het eten? Nee? Was de Rolls niet groot genoeg?'

Hij schudde zijn hoofd.

'Er ontbrak een gast', zei hij en hij keek zijn vader strak aan.

'Een gast? Ik kan me niet herinneren ... Nu ja, er waren zo veel genodigden, er is er altijd wel eentje die niet komt opdagen.'

'Deze was niet uitgenodigd.'

'Maar hoe wil je dan ...?' Zijn vader keek hem vragend aan.

'Nanny.'

Het gezicht van zijn vader vertrok. Hij draaide zich om en leunde tegen de balustrade.

'Weet ze ervan?'

Zijn vader keerde zich van hem af.

'Weet Nanny dat ik vandaag trouw, papa?'

Zijn vader wreef over zijn ogen.

'Nee,' zei hij, 'ze weet het niet.'

'Waar is ze? Wat is er met haar gebeurd?'

Zijn vader draaide zich naar de openstaande deuren van de feestzaal, waaruit de bassen van de dj klonken. Hij maakte aanstalten om naar binnen te gaan.

'Daar wil ik nu niet over praten. Je gaat toch je eigen huwelijksfeest niet verpesten?'

In twee stappen stond Chris naast hem.

'Ik heb het recht het te weten. Ik heb het haar aangedaan. Dan mag ik ook weten wat er daarna gebeurd is.'

Zijn vader stak zijn handen in zijn zakken.

'Je bent ondankbaar, Chris', zei hij. Zijn stem klonk meer onder controle, alsof hij plots ontnuchterd was. 'Je hebt ons heel erg teleurgesteld. Wij doen zo veel voor jou, we lossen je zaakjes op, en toch ben je ontevreden. Weet je hoeveel dit ons gekost heeft?'

'Wij wilden helemaal niet zo'n dure tr...'

De stomp tegen zijn schouder kwam onverwacht.

'Daar héb ik het helemaal niet over! Ik heb het over Nanny', siste hij. 'Het heeft ons verdomme een fortuin gekost! En nog altijd!'

Hij wandelde een eindje weg en kwam weer terug. Hij telde op zijn vingers.

'Nanny zit in een van de beste instellingen van het land. Ze wordt uit-ste-kend verzorgd. Dat betalen wij. Haar revalidatie, die betaalden wij ook. En tot slot bleef mama meer thuis omdat Nanny er niet meer was. Wat deed dat voor haar carrière, denk je? Hou er verdomme over op.'

'Als je wilt, betaal ik je alles terug.'

Zijn vader lachte.

'Hoe ga je dat doen?'

'Het gaat me om Nanny zelf. Ik gaf om haar. Ik wil weten hoe het met haar is. Ik wil me ... kunnen verontschuldigen.'

'Ze is niet meer dan een plant. Weet je hoe moeilijk het is om een plaats te vinden voor zo iemand? Wees blij dat het ons gelukt is. En wees blij dat de politie er niet bij gehaald is. Want dan was je weggerot in een of andere jeugdinrichting, meneer de dókter!'

Hij beende weg en bleef een eindje verder staan. Hij draaide zich om, in de verwachting dat Chris hem zou volgen om zich te verontschuldigen. Chris stapte kalm op hem af.

'Wat een afschuwelijke familie zijn wij. Het enige wat jullie doen is het onder de mat vegen. Nanny in de doofpot en ik aan de pillen. En klagen dat het je geld heeft gekost. Dat is wat je me kwalijk neemt. En dat ik geen carrière ambieer als de jouwe. Ik wil helemaal niet zijn zoals jij. Alles afkopen met geld, zonder een gram emotie.'

'Jij ... jij ...!' Zijn vader brieste. 'Wat wilde je dan? Wat is jouw alternatief? Zeg me dat eens, hoe zou jij het opgelost hebben?'

'Heb je er nooit aan gedacht dat ik me schuldig voelde? Dat ik getroost wilde worden, dat ik het wilde kunnen plaatsen, in de plaats van volgepompt te worden met pillen? Normale ouders praten met hun kinderen, ze geven ze een knuffel, ze troosten ze als ze bang zijn. Echte ouders laten het werk niet over aan een of andere psychiater.'

'Nu ga je zwijgen, jongen', zei zijn vader, wijzend met zijn vinger. 'We hebben gedaan wat we moesten doen. Het was een ongeval. Het enige wat Nanny ons kan verwijten, is dat we zo'n onbenullige zoon als jij op de wereld hebben gezet.'

Een jaar later volgde de rouwbrief. Ivoorkarton met een zwarte rand. De letters waren in het papier gedrukt.

Ongetwijfeld betaald door papa.

Ga je het NU eindelijk laten rusten? stond erop geschreven, in zijn nerveuze handschrift.

Het was een prikkelende ervaring de brief te lezen, hij onthulde zaken uit Nanny's leven die tot nu voor Chris onbekend waren gebleven. Voor de eerste keer las hij haar voornaam én familienaam, het maakte van haar een gewone vrouw. Ze had twee zussen, allebei veel ouder dan zij en al lang gestorven. Ze was achtenzestig jaar geworden.

De brief was al een maand oud.

Onderaan stond het adres van de instelling waar ze verbleven had.

De instelling lag een eind buiten de stad en was omringd door een immens park. Chris ging er regelmatig wandelen. Dan keek hij naar de mensen die op bezoek kwamen. Op de parkeerplaats alleen dure auto's, zijn vader had gelijk gehad: op deze plaats viel niets aan te merken. Hij vroeg zich af of Nanny van het park had genoten, en als hij een verpleegster of een arts kruiste en vriendelijk naar hen knikte, kostte het hem moeite om niet naar Nanny te vragen.

Op een keer sprak iemand hem aan.

'Meneer?'

Hij draaide zich om en keek in het vriendelijke gezicht van een man in maatpak.

'Bent u familie van dokter Walschap?' vroeg de man.

'Ik ben dokter Walschap', antwoordde Chris.

De man lachte.

'U lijkt inderdaad als twee druppels op hem, maar dan dertig jaar jonger. Ik zag het aan de manier waarop u wandelt', zei de man terwijl hij naar een bankje wees, waarop ze gingen zitten. 'Precies zoals uw vader.'

'Kwam hij hier vaak?'

'Elke week', zei de man. 'Ik kreeg dus veel kans zijn manier van wandelen gade te slaan.'

Hij lachte. Chris lachte mee, dat leek hem het beste.

'Het doet me plezier u hier te ontmoeten, meneer Walschap.'

'Zeg maar Chris.'

'René.'

Ze schudden elkaar de hand. Ze zwegen terwijl een vrouw een rolstoel voorbijduwde. De man in de rolstoel leek voortdurend vliegen weg te slaan, en in zijn ogen lag een blik alsof hij het iedereen verweet dat ze naar hem keken. Chris kreeg het koud.

'Is er een bepaalde reden dat je ...?' René maakte zijn vraag niet af.

'Ik wilde zien waar N...' Hoe moest hij haar noemen? Hij begon te stotteren, wat René interpreteerde als een emotionele hapering.

'Waar Anna verzorgd werd? Je vader vertelde me dat

je zo'n hechte band met haar had.'

De man keek hem enige tijd aan, alsof hij de emotie van Chris' gezicht wilde aflezen.

'Vroeg u zich nooit af waarom wij niet mee op bezoek kwamen?'

René schudde het hoofd.

'Anna was er erg aan toe. Volgens je vader zou het een te grote schok voor je geweest zijn om te zien wat haar wanhoopsdaad met haar had gedaan.'

Wanhoopsdaad? Wat had zijn vader deze man wijsgemaakt?

'Ik was nog erg jong toen, ik kan het me niet goed herinneren', zei Chris, in een poging de man te laten verder vertellen.

'Anna werd hier goed verzorgd. Je vader stond erop dat ze de beste begeleiding kreeg. Hij bleef al die jaren haar persoonlijke arts.'

Chris knikte.

'Hoe is ze precies gestorven?'

René keek naar zijn handen en begon aan zijn nagels te pulken.

'Het laatste jaar was ze in een sukkelstraatje beland. Op den duur vraag je je af wat de zin er nog van is. Toen hebben we besloten de behandeling stop te zetten. Je weet wel hoe dat gaat.'

'Passieve euthanasie', zei Chris.

Hij rilde.

'Zo noemen we dat', zei René.

In bepaalde gevallen, dacht Chris, kon je het ook moord noemen.

31

‘Godver, als ik het niet gedacht had’, sist Tess. Ze grijpt naar de radio terwijl ze haar ogen op het rode kruis met de witte esculaap houdt, het teken dat de auto van een arts is.

‘We’ve got him!’ sist Andy.

‘Auto van verdachte gevonden.’

Ze kan de opwinding in haar stem moeilijk bedwingen. Andy parkeert de patrouillewagen midden op het boerenweggetje. Zo sluit hij een eventuele vluchtweg af.

De zwarte Citroën c5 staat scheef geparkeerd, als enige wagen op het parkeerterrein. Was Walschap nerveus geweest? De auto valt op, zoals de vrouw zei.

‘Houd jij de omgeving in de gaten.’

Andy knikt en draait zich naar het bos en de maïsvelden.

De auto is leeg. Op het dashboard liggen een parkeerschijf en enkele parkeerbonnen. Bij de passagiersstoel een rugzak. Die voldoet aan de beschrijving die Charlotte van Sams rugzak heeft gegeven. In het vakje bij de versnellingspook een beetje kleingeld en een rol pepermunt. Op de achterbank niets.

Ze richt zich naar het café. Voor de ramen hangen dikke, rode gordijnen. De tafels en stoelen van het terras staan tegen een muur gestapeld, aan elkaar vastgeketend.

Pas nu ze dichterbij komt, valt het verval haar op. De verf van de omheining bladdert af, en er zitten grote, bruine zwammen aan de onderkant. De ramen van het café zijn vuil, van buiten kleeft er zand aan en zijn de afdrukken van regendruppels te zien. Langs de binnenkant, voor de verbleekte gordijnen, zitten spinnenwebben.

Tegen de muur dicht bij de deur staat een sandwichbord. In geel en wit krijt schreef iemand erop: *Verse pannenkoeken*. En in rood, erboven: *Nu La Chouffe van het vat!* Het krijt ziet er fris uit, het enige frisse aan het hele café.

Aan de achterkant van het café, waar het bos zijn donkere schaduw over het gebouw gooit, lijkt de temperatuur te dalen. Er hangt een vochtige, rotte geur. Rond drie blauwe tonnen vol oud frituurvet cirkelen dikke vliegen. Hier komt nauwelijks nog iemand, zelfs de eigenaar van het café niet, denkt Tess, en onttrokken aan de blik van bezoekers is de verwaarlozing nog erger dan aan de voorkant. Tegen de achtergevel groeit klimop, het lijkt alsof het bos stilaan het café overmeestert.

Dan ziet ze de kooi. Een hond zit er niet in, en dat is maar een geluk ook. Al is de herinnering aan hem er nog, in de vorm van een roestige etensbak.

Ze is nu aan de zijkant van het café gekomen, en

het zicht op het terras lucht haar op. Ze passeert drie zwarte vuilniszakken waaruit een bruinig sop sijpelt, maar hoe dichter ze het terras nadert, hoe properder het terrein wordt. De rozenstruiken staan er prachtig bij. Andy schuift in haar gezichtsveld. Schuin tegenover haar, zijn blik strak op haar gericht, grijpt hij naar zijn holster en ze schrikt.

Hij knikt in de richting van het bos, achter haar, en die beweging zet al haar zintuigen op scherp. Ze hoort het kraken van hout, niet het voortdurende kreunen en steunen van het bos omdat het leeft en beweegt, maar het knappen van dode takjes onder gewicht, onder voeten. In nog geen seconde heeft ze zich omgedraaid, haar wapen naar het bos. Ze richt zich naar het geluid, maar ziet niets. Of juist te veel, want overal is beweging en speelt het licht.

Weer gekraak. Links. Een schim.

'Walschap! Dit is de politie! Het bos is omsingeld! Kom uit de struiken met je handen omhoog!'

Was het gewoon de schaduw van een tak? Of een dier dat tussen de struiken wroette? Is ze aan het roepen naar een droombeeld?

'Walschap, je bent omsingeld. We houden je onder schot. Kom naar voren met je handen boven je hoofd!'

Ze wisselt een snelle blik met Andy, die wat verderop hetzelfde stuk bos onder schot houdt.

'Wal...'

'Niet schieten!'

Tess voelt hoe het haar op haar armen overeind komt.

'Ik kom eruit, niet schieten!'

32

Hij rent en probeert zich niets meer aan te trekken van wat hem ook wil tegenhouden. Hij rent alsof zijn leven ervan afhangt. De takken die zijn gezicht striemen, het stekelige onkruid, de venijnige putten, niets houdt hem nog tegen. Hij sluit zijn ogen tot spleetjes, concentreert zich op zijn ademhaling en laat de rest over aan zijn instinct.

Als hij op een open plek komt, versnelt hij. Is het Sams blonde haar dat hij daar in de verte ziet? Is het Sam die aan de overkant weer het bos in duikt? Hij kan het moeilijk zien, hij is verblind door de plotse overvloed aan licht. Maar op dit kleine grasveld kan hij vaart maken.

'Heb jij ooit van je zoon gehouden?' vroeg Charlotte tijdens hun ruzie na het verjaardagsfeestje. Natuurlijk had hij van Sam gehouden. Hij houdt nog altijd van hem. Alleen beseft Charlotte niet dat dit ook voor Sam de beste oplossing is.

Nu hij achter zijn zoon aanzit om hem te doden, het

afschuwelijkste moment uit zijn leven, voelt hij dezelfde harde spanning in zijn maag als elf jaar geleden, toen hij bij een bevallingsbed stond voor wat de mooiste gebeurtenis uit zijn leven moest worden.

Terwijl hij daaraan denkt, zweeft hij, alsof een goddelijke macht hem optilt.

'Persen!' riep de vroedvrouw.

Charlotte kreunde en perste. Hij stond nutteloos naast haar, hield haar zweterige hand vast of depte haar voorhoofd, waarbij ze zijn hand van zich afsloeg.

De zwangerschap van Charlotte was ongepland geweest, althans van zijn kant. Nog steeds vermoedde hij dat zij het lot een handje had geholpen. Voor een gediplomeerd verpleegster leek het vergeten van de pil wel een heel domme fout, al had hij van zijn patiënten genoeg verhalen gehoord over poetsvrouwen die woonden in een zwijnenstal of bouwvakkers die thuis geen enkel klusje geklaard kregen. Op de avond dat ze hem het nieuws vertelde, liet hij niets merken van zijn twijfel. In zijn hoofd was enkel plaats voor de gezinsuitbreiding zelf.

De zwangerschap was zorgeloos. Charlotte had nauwelijks last van kwaaltjes, en ze was mooi zwanger. Hij genoot van haar geluk. Het ontroerde hem hoe zorgvuldig ze het interieur van de kinderkamer koos en hoe ze zachtjes tegen de foetus praatte. Hij betrapte zichzelf er steeds vaker op dat hij fantaseerde over hun toekomst met het kind. Toen de gynaecoloog hun vertelde dat het een zoontje werd, liet hij zijn fantasie volledig de vrije loop.

'Persen!'

De uitroep van de vroedvrouw bracht hem terug in de verloskamer. Hij keerde ook terug naar de essentie: dat hij wilde dat zijn zoon gezond was – tien vingertjes, tien teentjes, twee armpjes en twee beentjes. Charlotte had alle mogelijk testen ondergaan, en de foetus was gezond verklaard, maar je wist het nooit. Was het door beroepsmisvorming, door zijn kennis over de duizenden ziektes die mensen onverhoeds konden overkomen, dat hij zich zo'n zorgen maakte over de gezondheid van hun kind?

Toen kwam Paul Hoefkens binnen, de gynaecoloog, een forse man met golvend grijs haar dat hem een natuurlijke autoriteit schonk. Hij straalde een charmante zelfverzekerdheid uit, alleen al zijn aanwezigheid werkte geruststellend. Hoefkens schudde Chris de hand, groette Charlotte zonder op een antwoord te wachten en stelde enkele vragen aan de verpleging en de vroedvrouw. Chris probeerde te horen of er iets scheelde met het kind of zijn vrouw. Hij stond te veraf om hen te verstaan.

'Goed zo, het hoofdje is al te zien!' zei de gynaecoloog. 'Komaan, persen!'

Chris pakte Charlottes hand vast. Ze perste nog harder, grommend tussen haar tanden. Hij verloor de grip op haar hand, maar ze greep hem nu zelf vast en hij glimlachte naar haar. Ze keek langs hem heen en perste opnieuw.

'Het hoofdje is er! Nog één ...'

Met een kreet uit het diepste van haar longen perste ze een laatste keer. Chris' hart bonkte tegen zijn borstkas. Met een vochtig geluid gulpte het babylijfje uit zijn vrouw. Er klonk een gilletje van vreugde bij de vroedvrouw, en Charlotte zakte hijgend terug in de kussens.

De eerste drie seconden duurden een eeuwigheid. Er gebeurde helemaal niets. Chris keek van de gynaecoloog naar de vroedvrouw, die iets zei wat hem ontging.

Daarna maakte het kind een geluid. Hij huilde.

De jongen ademde vervolgens normaal in, liggend op zijn moeders borst. Chris bekeek hem goed, en in dat ene ogenblik voor de angst zich van hem meester maakte, wist hij dat deze jongen het mooiste kind was dat ooit geboren was.

Er is geen goddelijke macht. Het zweven stopt als zijn voeten de grond raken.

Dan zakt hij erdoorheen.

Terwijl zijn benen in de grond verdwijnen, kruipt een koude vochtigheid omhoog. Ze omhult hem. Chris voelt hoe zijn voeten klem raken tussen stenen en een gierende pijn door zijn lijf sturen. Gewrichtsbanden scheuren als de zwaartekracht hem verder naar beneden trekt. Hij steekt zijn armen uit, maar ook die zakken in de smurrie. Luchtbellen doen zijn kleren opbollen. Hij krijgt een guts binnen. Hij zinkt, niet in een drassige vijver, niet in een met kroos bedekte poel. Hij zinkt weg in eenzaamheid, in totale verlatenheid, de vreselijkste leegte waarin een mens kan verdwijnen. Zo moet Nanny zich gevoeld hebben toen ze in het zwembad terechtkwam. Niet in staat zich te verweren, de spieren verlamd, van God en iedereen verlaten.

33

Terwijl zijn onderlichaam in brand lijkt te staan, probeert Chris naar de rand van de poel te kruipen. De smurrie is als stollend beton, en elke beweging veroorzaakt smakkende geluiden, alsof de poel van hem smult. Hij moet zich op zijn rug draaien wil hij niet verdrinken. Het lukt hem maar half, de pijn in zijn benen is verschrikkelijk.

Dan ziet hij Sam. Aan de rand van de poel een donkere gestalte waarvan hij alleen de contouren herkent. Net als de ruiters. Ook zij kwamen als silhouetten op hem af, die dag dat hij in dit bos een geschikte moordplaats zocht. Vandaag hebben ze hem niet gestoord. Ze bleven uit zijn buurt. En wat deed hij met de privacy die ze hem gunden?

Hij verknoeide het.

Maar zelfs nu, gebroken in een poel vol kikkerschijt, heeft hij nog een kans.

'Sam.'

De jongen reageert niet. Hij staat wijdbeens, zijn staf losjes in zijn hand. In zijn haar glinstert het zonlicht. Is het door het tegenlicht of omdat Chris naar hem moet opkijken dat Sam dezelfde autoriteit uitstraalt als de ruiters?

'Sam, ik kom hier niet alleen uit.'

Zijn zoon beweegt zijn hoofd.

'Je moet me helpen. Daar in het gras ligt een pen. Daar.'

De jongen wandelt traag in de richting van de pen. Voorovergebogen loopt hij langs de oever. Plots blijft hij staan.

'Ja, daar. Raap hem op, Sam.'

De jongen doet het.

'In die pen zitten supervitamines. Als je die inneemt, word je bijna zo sterk als Superman. Dan kan je papa uit deze poel halen. Dat wil je toch, hè, jongen?'

Zijn stem trilt, de koude van de poel verdooft zijn ademhaling. Kwam het geloofwaardig over? Ziet hij een knikje? Geeft zijn zoon een teken dat hij hem begrijpt?

'Het is heel gemakkelijk. Plaats de pen op je huid en duw bovenaan op de knop. Je zult een kleine prik voelen, maar die doet geen pijn. Dan krijg je superkrachten en kun je me uit de poel trekken en dan gaan we naar huis, oké? Dan gaan we naar mama. Dan krijg je ...'

Wat eet de jongen graag? Wat drinkt hij graag?

'Dan krijg je cola! En alle andere dingen die je graag lust!'

Sam maakt een korte beweging met zijn hand en een klein voorwerp cirkelt door de lucht. Met een zachte plons belandt het in de poel.

Chris sluit zijn ogen.

Alles is verloren.

Als hij zijn ogen opent, staat Sam niet meer aan de rand.

'Sam?'

Geritsel, achter hem. Hij heft zijn hoofd op, maar het enige wat hij ziet is lucht en kruinen. De wuivende blaadjes weerkaatsen het licht, ze trekken de aandacht als een mobile boven een babybedje.

Een flitsende pijn in zijn voorhoofd doet hem kopje-onder gaan. Hij opent zijn mond om te roepen, maar een geut drab smoort elk geluid. Het spul is dik en brokkerig als zure melk. Als hij begint te kokhalzen stroomt nog meer stinkend slik naar binnen. Chris komt aan de oppervlakte, maar weer gaat hij onder, alsof een vuist hem naar beneden duwt.

'Sam!' wil Chris roepen, maar er komt geen geluid uit zijn mond. Hij probeert zijn adem in te houden, maar zijn longen doen hem hoesten waardoor het poelwater naar binnen vloeit. Het verstopt zijn neus, oren en ogen, en terwijl zijn longen, rochelend en hoestend, zich stilaan met de smurrie vullen, zinkt hij dieper weg.

34

Tess parkeert de auto bij het park. Misschien moet ze het toch nog eens proberen, hier lopen. Als hij uitstapt, slaakt Andy een zelfde zucht als toen de jongen uit het struikgewas kwam.

'Niet schieten', jammerde Sam Walschap, terwijl tranen over zijn wangen rolden en een snottebel uit zijn neus hing. Een zucht van opluchting was het, en ook Tess voelde hoe haar schouders ontspanden terwijl ze haar wapen liet zakken.

'Je bent veilig, Sam', zei ze toen de jongen haar in de armen viel. Zijn greep was stevig, verstikkend bijna. Ze wreef hem over de rug, waar ze zijn spieren voelde trillen. Hij ademde hortend en stotend. 'Rustig maar, Sam, er kan je niets meer gebeuren.'

'Waar is je vader?' Andy was naast hen komen staan. Tess nam de vraag van hem over.

'Waar is je papa, Sam?'

'Ik weet het niet', huilde de jongen, en tussen de snikken door zei hij: 'Hij is ergens in het bos. Hij werd helemaal ... Ik ben weggelopen en ik weet niet waar hij is!'

'Breng 'm naar de patrouillewagen, Andy, en roep om dat we hem gevonden hebben. En dat de vader nog altijd in het bos is.'

Terwijl Andy de jongen wegbracht, keek Tess naar het bos. Ze voelde zich opgelucht, maar geen haar op haar hoofd dacht eraan alleen op zoek te gaan naar de huisarts. Ze nam haar telefoon en zocht het nummer van Charlotte.

Het duurde twee dagen.

De eerste dag kamden ze het bos uit en vonden ze enkel wit A4-papier dat over het pad en tussen de bomen waaide. Op elk blad stond de naam van een plant of boom. Voor de rest waren de bladen leeg, behalve die van de tamme kastanje. *Castanea sativa* was er in potlood op geschreven.

Tegen het einde van de tweede dag kwam het lijk van Chris Walschap boven water. Als je de drek waarin hij verdronken was, zo kon noemen.

De identificatie hadden ze aan Walschaps vader overgelaten, en Tess had bij hem de kilte ervaren waarover Charlotte had gesproken. Hij keek naar zijn zoon, knikte, en de enige zichtbare emotie was het trillen van de spieren in zijn kaken.

Ze drukt op de bel.

'Hallo?'

'Dag, Sam, Tess Jonkman van de politie.'

'Hoi, Tess.'

'Is je mama thuis?'

'Nee, ze is even boodschappen doen.'

'Kunnen we boven op haar wachten?'

Een paar seconden twijfel.

'Gaat het over papa?'

Andy trekt zijn wenkbrauwen op naar Tess.

'Dat vertellen we straks, als je mama thuis is. Goed?'

'Oké.'

De deur zoemt open.

In de lift denkt Tess aan het autopsierapport. Het onderzoek had duidelijkheid gebracht over de doodsoorzaak, al had zelfs het kleinste kind dat kunnen raden. De longen zaten vol met viezigheid.

Het uitwendig onderzoek was verwarrender. Behalve twee littekens (op de rechtervoet en de achterkant van de linkerknie) maakte het verslag melding van een wond op het voorhoofd. Er was ook een kneuzing te zien, waarschijnlijk veroorzaakt door een stomp voorwerp.

Naast de poel, niet ver van Walschaps lijk, had het team een tak gevonden. Het was geen tak die van een boom was gevallen, want alle zijtakjes waren eraf getrokken. Dat deed ik als kind ook, zei een collega, dan had ik een staf.

Als de lift opengaat en Tess de gang in stapt, denkt ze aan het verhoor van Sam. Hij had verteld hoe zijn vader hem kwam ophalen van school, dat hij dacht dat het afgesproken was met mama, hoe ze bladeren en bolsters hadden gezocht voor het herbarium en dat hij steentjes in de beek had gegooid. Toen was papa erg kwaad geworden en voelde Sam zich niet meer veilig. Hij rende het bos in en bij het café was hij geschrokken van de agenten.

Hij zei niets over een tak.
Hij zei niets over een poel.

Hij lacht als hij de deur opendoet.
'Hoi, Tess.'
Hij is een charmante jongen. Met zijn wilde blonde haar en donkere ogen zal hij nog veel meisjesharten sneller doen slaan. Het zou Tess niet verbazen als Emely een beetje verliefd op hem is.
'Dag, Sam.'
Hij doet de deur verder open en Tess en Andy gaan naar binnen.
'Mama komt straks thuis, het kan nog een half uur duren.'
'Dat is niet erg', zegt Tess.
'Willen jullie iets drinken?'
Tess schudt het hoofd. Ze kijkt even naar Andy, en hoewel zijn gezichtsuitdrukking helemaal niet verandert, ziet ze er een goedkeuring in.
Ze gaat tegenover Sam staan en buigt door haar knieen.
In de donkere ogen kan ze de pupil niet onderscheiden.
'We weten hoe je papa is gestorven, Sam.'
De jongen begint te huilen. Daar kijkt ze nu gemakkelijk doorheen.
'En we zouden daarover graag eens met jou praten.'

Bram Dehouck bij De Geus

Een zomer zonder slaap
De windmolens in het dorpje Blaashoek zijn een zegen voor de een en een vloek voor de ander. Slager Herman Bracke kan niet slapen door het irritante geluid. De perfectionist, in de wijde omtrek geroemd om zijn paté, raakt dodelijk vermoeid. Geleidelijk verliest Herman de controle over zijn werk. Daarmee zet hij een serie bloedstollende gebeurtenissen in gang, met fatale gevolgen voor de dorpsbewoners.

De minzame moordenaar
Een seriemoordenaar teistert Ieper, de stad waar nog elke avond de doden van de Eerste Wereldoorlog worden herdacht. Binnen het team van de gerechtelijke politie dat de misdrijven moet ophelderen, weet alleen rechercheur Rondelez wie de dader is: hijzelf. Door een noodlottige gebeurtenis is hij begonnen met moorden, maar kan hij ermee stoppen?